Eine Bildreise

Wolfgang Alber/Eckart Frahm/Otto Stadler/Ellert & Richter Verlag

Oberschwaben

Wolfgang Alber, geb. 1948, studierte Soziologie, Rechts- und Empirische Kulturwissenschaft (Volkskunde) in Tübingen. Er war zunächst in der Kultur- und Bildungsarbeit sowie als wissenschaftlicher Angestellter an der Universität Tübingen tätig. Seit 1984 ist er Redakteur beim „Schwäbischen Tagblatt" in Tübingen. Veröffentlichungen zur Kultur- und Regionalgeschichte, Volks- und Alltagskultur. Zusammen mit Eckart Frahm veröffentlichte er im Ellert & Richter Verlag die Bildreise „Die Schwäbische Alb".

Eckart Frahm, geb. 1941, studierte Germanistik, Sportwissenschaft und Empirische Kulturwissenschaft (Volkskunde). Nach einer Lehrtätigkeit am Gymnasium arbeitete er als freier Journalist für verschiedene Zeitungen und Rundfunkanstalten. Seit 1981 ist er am Deutschen Institut für Fernstudienforschung an der Universität Tübingen (DIFF) tätig, seit 1991 als Koordinator des Funkkollegs. Veröffentlichungen zu Fragen der Massenkommunikation, Dorfentwicklung, Kulturgeschichte, Alltag und Volkskultur. Zusammen mit Wolfgang Alber veröffentlichte er im Ellert & Richter Verlag die Bildreise „Die Schwäbische Alb".

Otto Stadler, geb. 1959 in Geisenhausen, Ausbildung als Filmassistent, Mitarbeit bei verschiedenen Filmproduktionen. Als freiberuflicher Fotojournalist reiste er ab 1984 durch Europa, Nordafrika und Südostasien. Er arbeitet für die internationalen Bildagenturen Silvestris, Transglobe Agency und Pacific Press Service. Seine Fotos erschienen u. a. in Geo, Geo France, Geo Saison, Merian, stern, Globo, Lufthansa, ADAC, in Fotozeitschriften und Büchern. Für den Ellert & Richter Verlag fotografierte er die Bildreisen „Bali", „Der Pfaffenwinkel" und „Die Schwäbische Alb".

Literatur:

Balze, Andreas/Fischer, Gerhard: Bodensee und Oberschwaben. Natur und Kultur. 23 Wanderungen und Spaziergänge sowie 7 Radtouren. Köln: DuMont Buchverlag, 1994.
Beig, Maria: Aus Oberschwaben. Paradies vorm Ausverkauf. Freiburg: Eulen Verlag, 1985.
Blickle, Peter: Oberschwaben. Politik als Kultur einer deutschen Geschichtslandschaft. Tübingen: bibliotheca academica Verlag, 1996 (Gesellschaft Oberschwaben für Geschichte und Kultur, Sonderheft).
Dürrson, Werner/Horlacher, Peter: Oberschwaben. Behüt dich Gott, schöne Gegend. Konstanz: Verlag Stadler, 1994.
Durchs Oberland. Ein geographisch-landeskundlicher Exkursionsführer. Hrsg. vom Oberschulamt Tübingen. Leutkirch: Verlag Rud. Roth, 1989.
Ebert, Karlheinz: Bodensee und Oberschwaben. Zwischen Donau und Alpen: Wege und Wunder im „Himmelreich des Barock". Köln: DuMont Buchverlag, 1981.
Eitel, Peter/Kuhn, Elmar L. (Hrsg.): Oberschwaben. Geschichte und Kultur. Konstanz: UVK Universität Verlag, 1995.
Feger, Otto/Busse Fritz: Geist und Glanz oberschwäbischer Bibliotheken. Biberach: Dr. Karl Thomae GmbH (o.J.).
Herwegh, Julius: Wanderführer Oberschwaben. Rund- und Streckenwanderungen. Stuttgart: Deutscher Wanderverlag, 1988.
Joedecke, Rainer: Oberschwaben: Zu Fuß in einer heilen Welt. In: GEO Nr. 10/1976, S. 106–120.
Kramarczyk, Ludwig/von der Mülbe, Wolf-Christian: Kunst-Landschaft Oberschwaben. Würzburg: Stürtz Verlag, 1986.
Krezdorn, Siegfried/Münch, Walter/Schneiders, Toni u. a.: Oberschwaben. Porträt einer Landschaft. Konstanz und Stuttgart: Jan Thorbecke Verlag, 1963.
Leser, Rupert: Alltag in Oberschwaben. Chronik eines Bildberichters in der Provinz 1962–1995, mit Textbeiträgen von Michael Schnieber. Ulm: Süddeutsche Verlagsgesellschaft, 1995.
Meyers Naturführer: Baden-Württemberg. Hrsg. vom Geographisch-Kartographischen Institut Meyer unter Leitung von Adolf Hanle. Mannheim: Meyers Lexikonverlag, 1988.
Merian: Oberschwaben. Heft 8, 10 Jg. (August 1957). Hamburg: Hoffmann und Campe Verlag.
Ott, Stefan (Hrsg.): Oberschwaben. Ravensburg: Otto Maier Verlag, 1972.
Renz, Peter: Oberschwaben. Reiseführer mit Insider-Tips. Ostfildern: Mairs Geographischer Verlag, 1995 (Marco Polo).
Rothermel, Eberhard/Stephan, Thomas: Oberschwaben. Stuttgart: Konrad Theiss Verlag, 1987.
Die Schwarzen Führer: Schwaben – Bodensee. Über 300 geheimnisvolle Stätten in mehr als 200 Orten, mit 105 Abb., zwei Übersichtskarten und einer Einführung von Prof. Lutz Röhrich. Freiburg: Eulen Verlag, 1996.
Wehling, Hans-Georg (Hrsg.): Oberschwaben. Stuttgart: Kohlhammer, 1995.
Zerlacher, Oskar: Die Oberschwäbische Barockstraße. Annäherungen an ein Himmelreich. Freiburg: Eulen Verlag, 1995.

Bildnachweis:
Fotos: Otto Stadler, Geisenhausen
außer:
Archiv der Autoren: S. 40/41, 94/95
Bildarchiv Preußischer Kulturbesitz, Berlin: S. 18, 34 links, 41, 87
Gebietsgemeinschaft Allgäu-Bodensee-Oberschwaben, Bad Waldsee: S. 69, 96
Städtische Kurverwaltung, Bad Waldsee/Foto: K. Furtner: S. 80 unten
Städtisches Kultur- und Verkehrsamt, Ravensburg/Foto: R. Leeser: S. 80/81, 83 links u. rechts
Süddeutscher Verlag Bilderdienst, München: S. 21, 34 rechts, 86

Die Deutsche Bibliothek – CIP-Einheitsaufnahme

Oberschwaben / Wolfgang Alber/Eckart Frahm/ Otto Stadler. – Hamburg : Ellert & Richter, 1997
(Eine Bildreise)
ISBN 3-89234-711-5

Text und Bildlegenden: Wolfgang Alber, Reutlingen/Eckart Frahm, Rottenburg/Tübingen
Übertragung ins Englische: Paul Bewicke, Hamburg
Übertragung ins Französische: Michèle Schönfeldt, Hamburg
Gestaltung: nach Entwürfen von Hartmut Brückner, Bremen
Lektorat: Kerstin Schmidt/Rüdiger Frank, Hamburg
Bildredaktion: Anke Balshüsemann, Hamburg
Satz: KCS GmbH, Buchholz/Hamburg
Lithographie: Lithotec Oltmanns, Hamburg
Druck: Druckerei Kohlhammer, Stuttgart
Bindung: S. R. Büge, Celle

Inhalt

Oberschwaben ist nicht nur eine liebevolle Erinnerung oder ein innigst gepflegtes Gebet („Behüt dich Gott, du schöne Gegend!"); Oberschwaben gibt es wirklich. Und damit beginnen die Schwierigkeiten, diese Region überhaupt wahrzunehmen, sie angemessen zu beschreiben, sie abzugrenzen, ihre Identität zu bestimmen. Für letzteres fühlt sich seit März 1996 die „Gesellschaft Oberschwaben für Geschichte und Kultur", eine Bürger- und Politikerinitiative, besonders zuständig und behauptet allen Ernstes, daß dieser – aufgrund seiner Geschichte – „kleinkarierte" Raum historische Modelle bietet, „die für eine moderne Gesellschaft in Deutschland und der Europäischen Union fruchtbar gemacht werden könnten". So ganz unrecht haben die Damen und Herren der Gesellschaft dabei nicht, wenn sie auf frühe Formen des Kommunalen, des Republikanischen und des Parlamentarischen verweisen: Immerhin gab es mit den von aufständischen oberschwäbischen Bauern 1525 formulierten Forderungen den ersten Grundrechtekatalog der deutschen Geschichte.

Oberschwaben liegt in der Mitte Europas. Man muß nur die europäischen Hauptstädte richtig miteinander verbinden: alle Linien, sagen die überzeugten Heimattreuen, schneiden sich in Oberschwaben. Gleichwohl befand sich diese schöne Mitte immer am Rand. Als Oberschwaben noch zu Österreich gehörte, war die Wiener Zentrale weit weg. Und als man im Zuge der Napoleonischen Flurbereinigung Europas Anfang des 19. Jahrhunderts zu Württemberg kam, war (und ist bis heute) das räumlich und geistig so ferne Stuttgart Sitz der Regierungsgewalt. Die oberschwäbische Randlage hat allerdings auch große Vorzüge: Eduard Mörike zum Beispiel, der schwermütig begnadete Lyriker, hielt es im pietistisch-orthodoxen Altwürttemberg nicht recht aus und ließ sich als evangelischer Pfarrer mit 39 Jahren schon pensionieren. Und wo verbrachte er die glücklichste Zeit seines Lebens? 1828/29

im katholischen Neuwürttemberg, in Oberschwaben; in Scheer und Umgebung atmete er im übertragenen Sinne auf und schrieb wunderschöne Frühlings- und Liebesgedichte. Nun ist nicht jeder ein Mörike („Die Wolke seh ich wandeln und den Fluß"), diese schöne Gegend verzaubert aber schließlich jeden.

Doch wo genau liegt dieses Oberschwaben tatsächlich, das Leib und Seele offenbar so guttut und das ein Modell ist? Der Sitz des zuständigen Regierungspräsidiums ist Tübingen, und die genauesten, der Geschichte und der Identität besonders angemessenen Zugänge zu dieser Region findet man – ebenfalls außerhalb – über das Diözesanmuseum in Rottenburg und das Karmelitermuseum in Rottweil. Dort kann man in konzentrierter Muße die sakrale Kunst Oberschwabens studieren, etwa Madonnenbilder, die eine unbändige Lust auf jenes Land und jene Leute entbinden, die sich nach der Säkularisation (1803–1806) von diesen Schätzen trennten oder vielmehr trennen mußten. Oberschwaben liegt zwischen der Donau bzw. den Südausläufern der Schwäbischen Alb und dem Bodensee; im Osten begrenzt durch die Iller, wobei sich im Südosten jenseits der Linie Leutkirch-Lindau das Allgäu erstreckt. Im Westen schließen sich jenseits der Linie Meßkirch-Stockach der Linzgau und der vulkanreiche Hegau an. Oberschwabens Grenzen sind allemal fließende Übergänge zwischen Sprach- und Konfessionszugehörigkeiten, den politischen Grenzen untergegangener, aber gleichwohl nicht vergessener historischer Territorien und nicht zuletzt den geologischen Tatsachen, die sich bei näherem Hinsehen in vielen Fällen jedoch als eindrucksvolle menschliche Kulturleistungen entpuppen.

Während des Erdmittelalters (vor 65 bis 2 Millionen Jahren) falteten sich die Alpen auf, und aus dem Bereich des Ur-Mittelmeers (Thetys) floß in den Senkungstrog des gesamten Alpenvorlandes Meerwasser; riesige Süßwasserseen bildeten sich, der mitgeführte Abtragungsschutt aus Sandsteinen, Kalken und Mergeln lagerte sich in zwei Phasen als untere und obere Meeresmolasse ab. In diesem Konglomerat, einer Art Naturbeton, fand man bei Baltringen Haifischzähne als Meereszeugnisse. Bei Rot an der Rot und bei Pfullendorf förderte man bis vor kurzem noch Erdöl in bescheidenen Mengen aus diesen

Erdschichten, die im Bussen, im Bodenseebecken (Überlinger Steiluferlandschaft) und im Allgäu (Hochgrat, Nagelfluh) noch an die Oberfläche kamen. Denn das oberschwäbische Alpenvorland wurde ansonsten in rund einer Million Jahren von eiszeitlichen Gletschern, vor allem aus dem Alpen-Rheintal, gestaltet und modelliert. In vier Eiszeiten, altersgemäß benannt in alphabetischer Reihenfolge nach den Flüssen Günz, Mindel, Riß und Würm, und in drei zwischenzeitlichen Wärmeperioden hobelten die Alpengletscher das Land zunächst flach und lagerten dann jeweils die mitgeführten Gesteinstrümmer ab: an der Stirnseite in bogenförmigen Wällen (Endmoränen) und beim jeweiligen Auftauen an der Gletscherbasis (Grundmoränen).

In der frühesten (Günz-)Eiszeit vor rund 600 000 Jahren stießen die Gletscherzungen am weitesten ins nördliche Altmoränenland vor. Der bogenförmige Endmoränenabschluß findet sich nördlich von Riedlingen und Biberach, nach Süden schließen sich die Schmelzwasserseen der zwischeneiszeitlichen Wärmeperioden im Wurzacher und Federsee-Ried an. Die späteste (Würm-)Eiszeit modellierte vor rund 120 000 bis 15 000 Jahren die südliche Jungmoränenlandschaft. Diese Gletscher schafften es – bevor auch sie wieder zu Wasser wurden – bis auf die Höhe Pfullendorf, Schussenried, Waldsee und Isny vorzudringen; auf dieser Bogenlinie lager-

1989 wurde das Naturschutzgebiet Wurzacher Ried vom Europarat in Kategorie A eingestuft.

In 1989 the Council of Europe declared the Wurzacher Ried a category A conservation area.

En 1989, le Conseil de l'Europe classa le Wurzacher Ried dans la catégorie A de protection.

ten sich deren Endmoränen ab. Und das Schmelzwasser, soweit es nicht in den zahlreichen Seen stehenblieb, floß über Schussen und Argen in das Gletscherzungenbecken des Bodensees und dann per Rhein in die Nordsee. Zu den Besonderheiten zählen im Süden des Jungmoränenlandes die unter fließendem Eis geformten Drumlins, walfischförmige Rundbuckel (vor allem zu sehen zwischen Wangen und Lindau und auf dem Bodanrück). Auch ihre Gestalt, ebenso wie die der Findlinge (eindrucksvoll bei Frankenberg-Waldburg und am Schussenursprung) und insgesamt die vielen Sand- und Kieslager in Oberschwaben, läßt ahnen, mit welcher Kraft die Gletscher die Gesteine über hundert und mehr Kilometer transportiert und glattgeschmirgelt haben. Gelegentlich fuhren die Gletscher auch über Eisreste hinüber und schütteten sie mit Geröll zu (Toteislöcher); bei späterer Wärme entstanden auch dort oberschwäbische Seen.

Die Schmelzwässer der verschiedenen Gletscher haben interessante Schotter- und Sanderfelder zusammengetragen: im Süden etwa die Haidgauer und Leutkircher Heide, Terrassentreppen bei Tettnang im Schussenbecken, im äußersten Norden die Holzstöcke zwischen Riß und Iller, wo die terrassenförmig abgelagerten Deckenschotter am längsten Wind und Wetter ausgesetzt waren; diese deckt jetzt auf geringwertigen Böden ein geschlossenes Nadelwaldgebiet. Oberschwaben verdankt also den hobelnden und Geröll transportierenden Gletschern diese eigenartig fächerförmige Süd-Nord-Gestaltung von Tälern, Flüssen und Bergrücken, ein Relief, das auch für die heute noch fehlenden großen Querverbindungen (Straßen, Eisenbahnlinien) „verantwortlich" ist.

Wer diese Landschaft nicht nur auf Bildern und Karten, sondern direkt in der Natur entziffern und lesen möchte, findet dazu viele Gelegenheiten. So kann man die charakteristische Entwicklung oberschwäbischer Gewässer von offenen Seen bis hin zu Hochmooren sehr gut an der Blitzenreuter Seenplatte an der B 32 zwi-

schen Altshausen und Weingarten ablesen. Moore entstehen durch Verlandung von Seen, denen kein neues Wasser zufließt. Unvollständig zersetzte Pflanzenreste (Torf) lagern sich ab, der Boden steigt bis über den Grundwasserspiegel und wird trocken, bis sich aus dem Niedermoor über den zuerst trockenen Seerand zur Mitte uhrenglasförmig das Hochmoor hochwölbt (und deswegen so heißt).

Die wechselvolle Geschichte der Kulturlandschaft kann man auch – als Zeugnis der Siedlungsgeschichte – anhand der Ortsnamen nachvollziehen. Die aus dem westlichen Bodenseegebiet, dem Donau- und Federseebecken eindringenden Jäger lebten zunächst dort, wo sie leicht an Nahrung kamen, wo der Wald nicht so dicht war (bei Altdorf gibt es immerhin noch mit 63 km² ein sehr großes geschlossenes Stück dieser Landschaft) und wo sie Schutz fanden, zum Beispiel in der Nähe der Schussenquelle. Dort fand man 1866 Überreste eines Rentierjägerlagers. In diesem Altsiedelgebiet Oberschwabens liegen die Haufendörfer (entstanden aus der Zusammenlegung von Einzel-Gehöften); auf frühe alemannische Landnahme (um 250 v. Chr.) kann man bei Orten, die auf -ingen, -heim, -dorf, -hausen oder -stetten enden, schließen. Bei Endungen wie -hofen, -weiler und vor allem -reute, -tann, -rod, -schnait oder -schwend dagegen handelt es sich um spätere mittelalterliche Rodungssiedlungen. Das Reichsstift Kempten förderte diese Art der Besiedlung, genannt Vereinödung (in der positiven

Bedeutung von Kleinod), und belohnte die Mühen der Waldrodung mit Freiheitsrechten für die Bauern (zum Beispiel für die freien Bauern auf der Leutkircher Heide). Kurzum: in Oberschwaben gibt es vieles in der Landschaft zu lesen und zu entdecken. Man sollte dazu aber nicht (nur) mit dem Auto durch diese schöne Gegend fahren, sondern sie per Rad oder zu Fuß durchstreifen. Denn seit Johann Gottfried Seume wissen wir: „Wer geht, sieht mehr!" Und unser Vorgänger ist für diese Erkenntnis 1801/02 immerhin von Leipzig nach Syrakus gegangen – allerdings an Oberschwaben vorbei.

Oberschwabens „Heiliger Berg": Der 767 Meter hohe Bussen, eine Aufwölbung der Süßwassermolasse, ist ein geschichtsträchtiger, legendenumwobener Berg und Wallfahrtsort.

Upper Swabia's "Holy Mountain:" the 767-metre Bussen, pushed up by fresh water sandstone, is a place of pilgrimage steeped in history and legend.

La «Montagne sainte» de Haute-Souabe: le Bussen, qui atteint 767 mètres d'altitude est une éminence constituée de molasse d'eau douce. Cette colline chargée d'histoire et nimbée de légendes, est également un lieu de pèlerinage.

Hinterlassenschaft der Eis-
zeitgletscher: Drumlins
(irisch für: Rückenberge),
kugelige Hügel aus Grund-
moränenmaterial, sind
charakteristisch für die
Landschaft im Südosten
Oberschwabens beiderseits
der Argen wie hier bei
Eisenharz.

Legacy of the Ice Age
glaciers: drumlins, or round-
ed moraine hills like this one
near Eisenharz, are a characteristic feature of the landscape on both sides of
the Argen in the south-east
of Upper Swabia.

Vestiges de la glaciation: les
«drumlins» (de l'irlandais
«collines arrondies»), émi-
nences mamelonnées,
constituées d'éléments morainiques de base, sont ca-
ractéristiques du paysage du
sud-est de la Haute-Souabe,
des deux côtés de l'Argen,
comme on le voit ici, près de
Eisenharz.

Die „schönste Dorfkirche der Welt": Baumeister Dominikus Zimmermann schuf von 1727 bis 1733 in Steinhausen den vollkommenen architektonischen Ausdruck der heiter-barocken oberschwäbischen Kultur-Landschaft. Der Bauherr, der Schussenrieder Abt Didacus Ströbele, mußte jedoch wegen diesbezüglicher Verschwendung abdanken ...

The "loveliest village church in the world:" architect and master builder Dominikus Zimmermann constructed this perfect architectural expression of lighthearted Upper Swabian Baroque culture in Steinhausen between 1727 and 1733. However, the man who commissioned the building, Abbot Didacus Ströbele of Schussenried, was forced to resign on account of his extravagance…

«La plus belle église de village du monde»: Dominikus Zimmermann, qui l'édifia de 1727 à 1733, à Steinhausen, a créé par là le plus parfait exemple de l'art baroque si plein d'allégresse, tel qu'on le trouve en Haute-Souabe. Le maître de l'ouvrage, l'abbé Didacus Ströbele, originaire de Schussenried, dut toutefois renoncer à sa fonction pour s'être montré trop dispendieux dans la réalisation de ce projet.

„Ein rauh winterig Land“:
Der liebliche Alpenblick
von der Siggener Höhe bei
Isny über Weiler und Einzel-
höfe, Zeugnisse der frühen
siedlungspolitischen
„Vereinödung“ (einer Art
Flurbereinigung), straft Sebastian Münsters Urteil von
1550 sommerschöne Lügen.

"A raw, wintry country:"
This delightful mountain
view from Siggen Height
near Isny belies the
judgement passed by Sebastian Münster in 1550. It
ranges across hamlets and
lone farms, testimony to
an early reparcelling of agri-
cultural land.

«Un pays rude où règne
l'hiver»: ce paysage riant
s'ouvrant sur les Alpes, de la
colline de Siggen, près
d'Isny et découvrant ha-
meaux et fermes isolées, té-
moignages de la poli-
tique de «désertification»
pratiquée très tôt en matière
de lotissement, méthode
comparable au remem-
brement des terres, vient
démentir ce jugement, porté
par Sebastian Münster,
en 1550.

Eine Perle im Wiesental:
Im Spätherbst des Barock,
von 1780 bis 1786, schufen
die Klosterbrüder von
Mönchsrot in Rot an der Rot
noch einmal ein großartiges
Bauwerk. Zwei Jahrzehnte
vor der Säkularisation
entstand hier ein eindrucks-
volles Zeugnis oberschwäbischer Klosterherrlichkeit.

A pearl in the Wiesental valley: the monks of Mönchsrot
abbey in Rot on the River
Rot erected this magnificent
edifice between 1780 and
1786, in the late autumn
of the Baroque period, pro-
viding eloquent testimony to
the power and glory of
Upper Swabian monasteries
two centuries before secular-
isation.

Véritable perle, enchâssée
dans l'écrin de verdure de
cette vallée: vers la fin de
l'époque baroque, de 1780 à
1786, les moines du couvent
de Mönchsrot, à Rot sur la
Rot, réalisèrent, une fois encore, un grandiose édifice.
C'est une vingtaine d'années
avant la sécularisation que
fut créé cet exemple saisis-
sant de l'art conventuel et de
la magnificence des abbayes
en Haute-Souabe.

Ein schrumpfender Eiszeit-Zeuge: In der Mindeleiszeit hobelte eine Zunge des Rheingletschers den 150 Quadratkilometer großen „Ur-Federsee" aus; um 1800 reduzierten zwei künstliche Seefälle die Wasserfläche auf 2,5 Quadratkilometer, heute sind es noch rund 1,4. Der anderthalb Kilometer lange Holzsteg führt mitten hinein in das größte Naturschutzgebiet Baden-Württembergs.

A shrinking witness to the Ice Age: a tongue of the Rhine glacier carved out the original Federsee, 150 square kilometres in area, in the Ice Age. In around 1800 two artificial waterfalls reduced the lake's surface area to 2.5 square kilometres, and today it is only around 1.4. The one and a half kilometre long wooden walkway leads into the heart of Baden-Württemberg's largest nature conservation area.

Un témoin de l'époque glaciaire ne cessant de s'amenuiser: c'est au quaternaire que, en rabotant le terrain, une langue du glacier du Rhin donna naissance au lac primitif de «Federsee» qui s'étendait alors sur 150 km carrés. Vers 1800, deux chutes d'eau artificielles réduisirent sa superficie à 2,5 km carrés; il n'en comporte plus aujourd'hui que 1,4. Une passerelle de bois, de 1,5 km de longueur, s'avance au beau milieu de la plus grande réserve naturelle du Bade-Wurtemberg.

Oberschwaben ist landschaftlich voller Harmonie, aber geschichtlich ist es voller Gegensätze. Aus den Gegensätzen entstanden Konflikte, zwischen Adligen und Bauern, Oberschwaben und Württembergern. Landnahme und Krieg, Gängelung und Unterdrückung der Bevölkerung schlugen Wunden; aber über den Narben bildete sich ein oberschwäbisches Selbstbewußtsein, dessen historische Entwicklung sich Fremden nicht auf Anhieb erschließt: „Wenn es in Niederschwaben heller aussieht als in Oberschwaben, so wird man wohl dies auf Rechnung der größeren Territorien setzen müssen, wie sie Württemberg und Baden schon vor der Revolution hatten. In Oberschwaben wimmelte es von kleinen Fürsten, Grafen, Rittern, Prälaten und Reichsstädten – selbst freie Bauern gab es auf der Leutkircher Heide!" In seinem Buch „Reise durch das Königreich Württemberg" zeichnete Karl Julius Weber 1826 ein zutreffendes Bild der politischen Kleinkammerigkeit und der territorialen Zersplitterung Oberschwabens. Aber auch der „hohenlohische Voltaire" projizierte Vorurteile eines aufklärerischen Unterländers auf das ihm verwirrend und dunkel erscheinende „Oberland", dessen Gestalt sich erst aus dem Verständnis seiner wechselvollen Geschichte erhellt.

Nach den Römern siedelten hier die Alemannen. Sie gehörten zu den suebischen, also schwäbischen Stämmen, an deren Spitze ein Herzog stand. Im 8. Jahrhundert n. Chr. fiel das Land an die Franken; Hildegard, die Gemahlin Karls des Großen, stammte aus dem Grafengeschlecht Argengau. Auch später war Oberschwaben ein wichtiges Pfand der Reichspolitik – und hier lagen schon die Ursachen des politischen Patchworks. Das mittelalterliche schwäbische Herzogtum war seit dem 11. Jahrhundert in drei Machtbereiche gespalten: Staufer in der Mitte und im

Norden, Zähringer im Südosten, Welfen im Südwesten als „Duces de Ravenspurc" mit Grablege in Altdorf, dem späteren Weingarten. Die Vettern Heinrich der Löwe und Friedrich Barbarossa teilten zunächst die Interessensphären auf; als Welf VI. seine Besitzungen an Barbarossa verkaufte, wurde Oberschwaben Zentrum der Staufer. Sie gründeten Städte wie Biberach, Buchhorn (heute Stadtteil von Friedrichshafen), Leutkirch, Ravensburg, Saulgau und Buchau.

Nach dem Untergang des Stauferreichs richtete Rudolf von Habsburg 1274 die oberschwäbische Landvogtei ein und übte Reichsrechte aus. Er wollte ein Bollwerk gegen Württemberg und ein Verbindungsglied zu den vorderösterreichischen Landen am Oberrhein schaffen. Der Amtsbezirk erhielt den Namen „Suevia superior" und umfaßte das Gebiet von der Donau bis in die Schweiz, vom Schwarzwald bis ins bayerische Schwaben. Habsburg versuchte, sich durch gezielte Erwerbspolitik eine Hausmacht zu sichern: Es kaufte die Städte Ehingen, Mengen, Munderkingen, Riedlingen, Saulgau, Schelklingen und Waldsee, die Grafschaften Sigmaringen und Montfort und richtete in Altdorf-Weingarten die Landvogtei ein. Es bildete im 14. und 15. Jahrhundert Repräsentationsgremien wie „Landschaften", „Land-

stände" und den schwäbisch-österreichischen Landtag, rekrutierte in Oberschwaben Beamte und Soldaten. Aber es gelang ihm nicht, das alte Herzogtum Schwaben neu zu konstituieren. Adel, Klöster und Städte nutzten das Interregnum, um ihre Selbständigkeit zu erlangen. Klöster wie Ochsenhausen oder Weingarten wandelten sich von beschützten „Schirmklöstern" zu reichsunmittelbaren Abteien, die staufischen Königsstädte machten sich als freie Reichsstädte unabhängig, schlossen Bündnisse und sicherten Handelswege. Die Ministerialität ging im Adel auf, der durch das Fehlen einer einheitlichen landesherrlichen Gewalt Kleinterritorien bilden konnte.

Oberschwaben ist eine Sakrallandschaft, der „Pfaffenwinkel des Heiligen Römischen Reichs": Schon früh bildeten die Klöster Reichenau und St. Gallen am Bodensee einen kulturellen Mittelpunkt Deutschlands. Im 15. und 16. Jahrhundert ließen sich Benediktiner in Ochsenhausen, Weingarten, Hofen und Petershausen, Prämonstratenser in Weißenau, Schussenried, Marchtal und Rot an der Rot, Zisterzienser in Salem, Baindt, Heggbach und Gutenzell, Deutschordensritter in Altshausen nieder. Mit der Ablösung der „Schirmrechte", die dem Reich Gerichtsbarkeit und die Besteuerung einräumten, konnten sich die Klöster als Kleinstaaten mit Grund- und Leibherrschaft entwickeln: So gebot der Abt von Weingarten über 45 Quadratkilometer Land und 11 000 Untertanen. Die geistlichen Herren strebten durchaus nach irdischer Macht und profanem Gewinn. Der Schussenrieder Abt Di-

Kaiser Rudolf I.
(1218–1291) richtete 1274 die Landvogtei „Suevia superior" ein und sicherte Habsburg eine Hausmacht in Oberschwaben.

In 1274 Emperor Rudolf I (1218–1291) established the province of "Suevia superior," thus securing Habsburg power in Upper Swabia.

C'est en 1274 que l'empereur Rudolf Ier (1218–1291) institua la «Suevia superior», prévôté rurale, assurant ainsi aux Habsbourg un soutien en Haute-Souabe.

dacus Ströbele vergaß zum Beispiel jedes weltliche Maß: Er ließ sich von Dominikus Zimmermann „die schönste Dorfkirche der Welt" in Steinhausen erbauen; der Konvent der Reichsabtei hatte dafür 9 000 Gulden genehmigt, am Ende kostete die Wallfahrtskirche über 50 000 Gulden. Ströbele wurde später zur Abdankung gezwungen und soll dann „heiligenmäßig" gelebt haben.

Oberschwaben war auch während der Reformation eine Hochburg der alten Kirche, obwohl es von Städten umgeben war, in denen der neue Glaube Fuß gefaßt hatte: Konstanz, Lindau, Ulm, Memmingen, Isny und Leutkirch. Mit dem Augsburger Religionsfrieden von 1555 wurden die Positionen festgeschrieben. Oberschwaben blieb weitgehend katholisch, es tolerierte jedoch die Evangelischen, etwa in konfessionell gemischten Städten wie Biberach und Ravensburg. Oberschwaben war aber zugleich Zentrum der Gegenre-

Ochsenhausen wurde 1093 als Benediktinerkloster gegründet und 1495 zur Reichsabtei erhoben.

Ochsenhausen was founded as a Benedictine abbey in 1093 and elevated to the status of an imperial abbey in 1495.

Ochsenhausen fut fondée en 1093 en tant qu'abbaye bénédictine et promue au rang d'abbaye d'empire en 1495.

formation. Innerhalb der Kirche wurde sie seit dem 16. Jahrhundert von Reformen im jesuitischen Impetus begleitet. Die Klöster hörten auf, Versorgungsinstitute für Adlige zu sein, die Mönche und Nonnen besannen sich auf Ideale wie Weltentsagung, Armut, Gemeinschaft. Auf der anderen Seite trugen sie den Glauben nach außen, sorgten nicht mehr allein für ihr individuelles Seelenheil, sondern bekehrten das Volk. Die neue Bescheidenheit führte zu finanziellen Überschüssen, die in Neubauten gesteckt wurden. Der Barock war Ausdruck des konfessionellen Selbstbewußtseins, das sich dann auch in Volksfrömmigkeit niederschlug.

Oberschwaben ist eine Agrarlandschaft: Hier haben Bauern stärker als andernorts die Geschichte mitbestimmt. Im Unterschied zu den Württembergern, die ihre Ernte auf kleinen, durch Realteilung zersplitterten „Handtüchle" einfahren mußten, galten die Oberschwaben als wohlhabend, auf großen, durch Anerbenrecht arrondierten Höfen und mit vollen Scheuern lebend. Der oberschwäbische Arzt und Dichter Michel Buck hat 1865 in seinem Büchlein „Medicinischer Volksglauben und Volksaberglauben aus Schwaben" die Unterschiede so beschrieben: „Während die Niederschwaben schlanke, hagere, im Vergleich mit dem Oberschwaben fast wadenlose Leute sind, die eine gewisse Zähigkeit und Ausdauer in Ertragung der Nöthen des Lebens vor den Oberschwaben voraus haben, ist dieser durchschnittlich größer, breiter, muskulöser, zum Be-

leibtwerden geneigt. (…) Der Niederschwabe nährt sich mehr von Vegetabilien; Kartoffeln, Welschkorn und Mehlspeisen; der Oberschwabe ißt Jahr aus Jahr ein, mit Ausnahme der Fasttage, täglich wenigstens einmal Fleisch. (…) Was den Charakter der Oberschwaben anbelangt, so zeichnet er sich durch eine gewisse Noblesse, durch aristokratische Färbung, durch derbe Offenheit, ein gewisses zähes Festhalten am Althergebrachten, durch ein sehr empfindliches Rechts- und Ehrgefühl aus."

Dieses Rechts- und Ehrgefühl speist sich wiederum aus der Geschichte: Da gab es freie Bauern in Eglofs und auf der Leutkircher Heide, die vom König Stadtrecht verliehen bekommen hatten, und klosteruntertänige oder dem Adel leibeigene und fronpflichtige Bauern, die freilich ihre Rechte in Herrschaftsverträgen oder im ständischen Gremium der „Landschaft" absichern konnten. Insbesondere das Vorbild der oberschwäbisch-städtischen Verfassungen und der eidgenössisch-landsgemeindlichen Organisationsform beeinflußten die Forderungen der Bauern nach politischer Partizipation. Dem standen die althergebrachten Gewaltverhältnisse gegenüber: Adlige und Geistliche wollten auf die Naturalabgaben der Bauern, die einen hohen Anteil ihres Einkommens ausmachten, nicht verzichten. Sie schlossen sich mit den Städten 1488 im „Schwäbischen Bund" zusammen, um den „Landfrieden" militärisch zu sichern. Als der Fürstabt von Kempten den Bauern weitere Lasten aufbürdete, griffen diese 1491 erstmals zu den Waffen. Der Abt rief den Schwäbischen Bund zu Hilfe, die Bauern ließen sich zu Verhandlungen überreden; in Kempten soll dann erstmals der „Bundschuh" (die armen Bauern trugen ein mit Bändern an den Fuß gebundenes Stück Leder als Schuhwerk) als Zeichen des Aufstands aufgesteckt worden sein. Mit der Reformation begehrten die Bauern dann das „göttliche Recht": „Mer wend kain heren han dan alain Got den Allmechtigen" forderten die Untertanen des

Klosters Schussenried. Anfang 1525 ver-
bündeten sich unter Führung von Huldrich
Schmid von Sulmingen und Sebastian
Lortzer aus Memmingen 10 000 Bauern in
Baltringen bei Biberach. Im Februar 1525
rotteten sich der „Allgäuer Haufen", der
„Bodenseer Haufen" und der „Baltringer
Haufen" zusammen. Am 7. und 8. März
1525 versammelten sich die Vertreter der
Bauern in der Reichsstadt Memmingen
und verabschiedeten ihre Forderungen
nach Aufhebung von Leib- und Grundherrschaft, nach Einrichtung von Gemeinden und Landständen.

Weite, zusammenhängende
Felder wie hier bei See-
kirch sind charakteristisch
für das bäuerliche Ober-
schwaben.

Large expanses of connect-
ing fields like these near
Seekirch are characteristic of
Upper Swabian farmland.

De vastes étendues de
champs tels qu'on en trouve
à Seekirch, sont caractéris-
tiques du paysage rural
de Haute-Souabe.

„Die zwelff artikel der Bawrschafft in
Schwaben", wie Martin Luther den Kata-
log nannte, wurden als Flugschrift ge-
druckt, der Freiheitsgedanke verbreitete
sich von Oberschwaben aus in ganz
Deutschland. Im selben Jahr befaßte sich
der Reichstag in Speyer mit den Forderungen und empfahl den Fürsten, die Leibei-
genschaft zu mildern. Die Bauern wurden
hingehalten, dann hingemordet. Als
Schlächter tat sich der militärische Führer
des Schwäbischen Bundes hervor, der
oberschwäbische Truchseß Georg von
Waldburg. Der „Bauernjörg" verfolgte die
Bauern blutig, am 4. April 1525 zerschlug
er den oberschwäbischen Haufen bei
Leipheim, am 17. April brachte er den
Seehaufen durch eine Vereinbarung in
Weingarten dazu, sich aufzulösen. Der
Bauernkrieg wurde verloren, folgenlos
blieb er nicht. In Oberschwaben fochten's
die Enkel besser aus, nicht zuletzt deshalb,
weil die Obrigkeit hier Einsehen zeigte,
den Bauern mehr Rechte einräumte und
Bodenreformen ermöglichte.
Diese um 1550 beginnende „Vereinödung"
wurde für weite Teile Oberschwabens be-

stimmend: Aussiedlung, Flurbereinigung
und Anerbenrecht trugen zu gut bewirt-
schaftbaren Flächen und damit zum Wohlstand bei. Hauptsächliche landwirtschaftliche Produkte in Oberschwaben waren
Getreide, Kraut, Käse, Fleisch, am Bodensee Flachs, Hopfen und Wein. Neben den
Städten in der Umgebung lagen die
Absatzmärkte in Österreich und der
Schweiz, über die Bodenseehäfen lief die
Hälfte der Getreideexporte; aus Vorarlberg und Tirol wiederum wurden „Hüte-
kinder" (junge Viehhirten) nach Oberschwaben „importiert". Heute ist die
Bedeutung der Landwirtschaft zurückge-
gangen. Aber noch immer arbeiten im
Kerngebiet um die acht Prozent, in man-
chen Gemeinden sogar über 20 Prozent
der Erwerbstätigen in der Land- und Forst-

wirtschaft, in Baden-Württemberg sind es weniger als drei Prozent. Auch die Betriebsgrößen heben sich mit Nutzflächen um die 20 Hektar deutlich vom Landesdurchschnitt mit 13 Hektar ab, ebenso ist die Zahl der Haupterwerbsbetriebe und der Eigentumsflächen deutlich höher. Bei der Bodenfläche liegt der Anteil der Landwirtschaft mit 60 bis 70 Prozent ebenfalls deutlich über den in Baden-Württemberg üblichen 50 Prozent, entsprechend bleiben Siedlungs- und Verkehrsflächen unter dem Landesdurchschnitt von zwölf Prozent. Neben dem Getreideanbau sind inzwischen die Rapsbepflanzung zur Ölgewinnung und die Futtergewinnung zur Viehhaltung dominant. Hinzu kommen um den Bodensee Wein- und Obstbau, Hopfen- und Gemüsezucht. Oberschwaben ist noch immer ein agrarisch strukturiertes Land, aber es ist mehr und mehr von europaweiten Entwicklungen wie Quotenwirtschaft und Flächenstillegung betroffen.

1525 erhoben sich die oberschwäbischen Bauern gegen die adligen Herren – hier eine zeitgenössische Darstellung.

In 1525 the Upper Swabian peasants revolted against their aristocratic masters – here a contemporary depiction.

En 1525, les paysans de Haute-Souabe se soulevèrent contre leurs suzerains, ainsi que le dépeint ce tableau d'époque.

Oberschwaben ist eine Feudallandschaft: Seit dem späten Mittelalter wurde die Topographie durch Schlösser, Herrenhöfe und Großfluren mitgestaltet. Trutzburgen hoch droben wie die Waldburg bei Ravensburg, Schloß Heiligenberg bei Salem, Schloß Zeil bei Leutkirch und Schloß Wolfegg bei Wolfegg führten „denen da drunten" das Machtgefälle und die Untertänigkeit vor Augen. Mit dem Fehlen einer landesherrlichen Gewalt war es den oberschwäbischen Adelsfamilien gelungen, selbst zu kleinen Landesherren zu werden und zum deutschen Hochadel aufzusteigen: die Fürstenbergs, Schwarzenbergs, Thurn und Taxis oder Waldburgs mit den Linien Waldsee, Wolfegg, Zeil-Wurzach und Zeil-Trauchburg. Eine zweite Gruppe setzte sich aus reichsritterschaftlichen und landsässigen Familien des niederen Adels wie den Schenken von Stauffenberg oder Rassler von Gamerschwang zusammen. 1803 kamen Hochadlige hinzu, die im Reichsdeputationshauptschluß mit säkularisiertem Kirchenbesitz in Oberschwaben für den Verlust ihrer linksrheinischen Gebiete entschädigt wurden: Nassau-Oranien, Metternich-Winneburg, Windischgrätz, von Quadt, von Salm-Salm und Esterhazy-Galantha beispielsweise. Der Kampf der Mittelstaaten Bayern, Württemberg und Baden an der Seite Napoleons brachte 1805 das Ende des ersten deutschen Reichs und des alten Oberschwabens. Österreich mußte seine Vorlande preisgeben, Württemberg stieß in das Vakuum vor. Die oberschwäbischen Adligen, 1559 durch Kaiser Ferdinand für reichsunmittelbar erklärt, wurden „Stan-

desherren". Sie wehrten sich verzweifelt, aber vergebens gegen die Mediatisierung. König Friedrich I. von Württemberg deklassierte und demütigte sie, die überwiegend bürgerlich-protestantische Beamtenschaft verdrängte sie aus angestammten Machtpositionen. Daraus erklärt sich bis heute eine Abneigung der Oberschwaben gegenüber Württemberg und eine Orientierung an Bayern und Österreich. So war Graf Stadion zum Beispiel Metternichs Vorgänger, die Fürstenbergs waren beim politischen Tanz des Wiener Kongresses dabei, Namen wie Fugger oder Königsegg hatten am Habsburger Hof einen guten Klang. Und noch immer besuchen Adelssprößlinge bayerische oder österreichische Schulen, spricht der heutige Herzog von Württemberg eher einen österreichischen als einen schwäbischen Akzent.

Ihre politischen Interessen konnten die Standesherren zwar in der ersten Kammer des Württembergischen Parlaments vertreten, aber sie suchten weiter Sonderwege. So gab es Bündnisversuche mit den Bauern und gegen die „Mediatisierung des Herrgotts" einen Schulterschluß mit der Kirche. Dessen Ausdruck ist der „Ultramontanismus": eine Klerikalisierung mit Ausrichtung auf Rom, eine Wiederbelebung der Volksfrömmigkeit und eine konservative, vielfach gegen Aufklärung und Moderne gerichtete christliche Politik im Zentrum und später in der CDU. Der Ultramontanismus immunisierte den oberschwäbischen Adel teilweise auch gegen den Nationalsozialismus; zu den Widerstandskämpfern gehörten Angehörige der Familie von Stauffenberg. Nach dem Zweiten Weltkrieg blieb der adlige Waldbesitz von der Bodenreform unangetastet, im Regierungsbezirk Tübingen macht er fast ein Viertel der Forstfläche aus. Daneben wandten sich die Adligen aber modernen Erwerbsquellen zu, so ist etwa die Familie Waldburg-Zeil an Kurkliniken oder Presseorganen wie der „Schwäbischen Zeitung" beteiligt.

Aller Demokratisierung zum Trotz hat der Adel in Oberschwaben noch immer eine besondere Stellung inne, ihm wird von der

Bevölkerung weiter ein gewisser Respekt entgegengebracht, wobei der katholische Glaube bei allen Standesunterschieden eine Klammer bildet. So dürfte es Bürgern, Bauern und Adligen, die sich durch das evangelische Württemberg vereinnahmt fühlten, Genugtuung sein, daß mit Herzog Carl dem Haus Württemberg ein Repräsentant der katholischen Linie mit Stammsitz Altshausen vorsteht. Ironie der Geschichte, gewiß. Aber aus der Geschichte lernen? Bisweilen ist der Umgang mit ihr so unbefangen wie unreflektiert. In Wilflingen wohnt der Dichter Ernst Jünger, dessen Frühwerk totalitär-nationalistisches Denken offenbart, im Forsthaus der Hitler-Gegner von Stauffenberg. Auf der Speisekarte eines Gasthauses in Wurzach, dort, wo in der Karwoche 1525 der Truchseß von Waldburg Hunderte von Bauern blutig niedermetzeln ließ, fand sich ein

Gericht „Tournedos à la Bauernjörg". Daneben aber gibt es in Sichtweite von Schloß Zeil an der Bundesstraße Leutkirch-Wangen ein Denkmal für die Opfer des Bauernkriegs. Auch Widersprüche scheinen sich hier leichter aushalten zu lassen.

Das überwiegend ländliche Oberschwaben ist schließlich eine Städtelandschaft: Davon zeugen die sechs Allgäustädte Kaufbeuren, Kempten, Leutkirch, Memmingen, Isny, Wangen, die drei Bodenseestädte Buchhorn, Lindau, Überlingen, die vier im engeren Sinne oberschwäbischen Städte Biberach, Buchau, Ravensburg, Pfullendorf, die fünf habsburgischen Donaustädte Mengen, Munderkingen, Riedlingen, Saulgau, Waldsee, dazu das nahe gelegene Ehingen. Später kamen ehemalige Residenzen der Montforts und Waldburgs als Städte hinzu: Tettnang, Scheer, Wurzach, im 19. und 20. Jahrhundert erhielten Gemeinden wie Altdorf-Weingarten, Aulendorf, Laupheim, Ochsenhausen, Schussenried und Dietenheim die Stadtrechte. Die meisten hatten, wie das am Rande Oberschwabens gelegene Ulm,

Schloß Zeil (oben), Sitz der Fürsten von Waldburg-Zeil. Fachwerkhäuser in der habsburgischen Donaustadt Mengen (unten).

Schloss Zeil (above), seat of the princes of Waldburg-Zeil. Half-timbered houses in the town centre of the Habsburg town of Mengen on the Danube (below).

Le château de Zeil (en haut), siège des princes de Waldburg-Zeil. Des maisons à colombages dans la ville habsbourgeoise de Mengen.

Großgrundbesitz, dazu Markt- und Maß-rechte, Gerichts- und Zollhoheit, Um-mauerung und Untertanen; sie waren kleine Republiken mit souveränen Rech-ten. Die Stadtgründungen basierten auf Märkten, und die Wirtschaftskraft der Städte bestimmt bis heute die Entwick-lung Oberschwabens wesentlich mit. Oberschwaben lag im Spätmittelalter an einer der Hauptverkehrsachsen vom Nord- und Ostseeraum hin zum Mittelmeer. Im 12. Jahrhundert blühte die Wolltuch-macherei, oberschwäbische Leinwand wurde selbst bis nach Nordafrika verkauft. Im 14. Jahrhundert stellten die Biberacher Weber Barchent her (ein Gewebe aus Baumwolle), das neben Getreide zum wichtigsten Exportartikel wurde. Um 1500 soll es in der Stadt 400 Webstühle gegeben haben, in die Produktion wurden Bauern und Heimarbeiter im „Verlags-system" (Gütererzeugung, bei der der Ver-leger die Rohstoffe beschafft und den Absatz organisiert, die Produktion aber in Heimarbeit erfolgt) einbezogen. Die Städ-te gaben sich eine gemeinsame „Lein-wandordnung", die Kaufleute schufen mit der „Großen Ravensburger Handelsgesell-schaft" (um 1400 bis 1530) eine Art süddeutsche Hanse mit bis zu 90 Ge-sellschaftern, darunter auch Schweizer Reichsstädte. Waren wurden nach Vorarl-berg, Appenzell und Thurgau sowie in den Mittelmeerraum und nach ganz Mitteleu-ropa geliefert. Niederlassungen gab es in Brügge, Antwerpen, in Avignon, Lyon, Barcelona, Valencia, Mailand, Venedig, Genf und Wien.

Damit die Warenströme ungestört trans-portiert werden konnten, aber auch zur gegenseitigen Hilfe bei kriegerischen Auseinandersetzungen und zur Wahrung der Reichsunmittelbarkeit schlossen sich die Städte zu Bündnissen zusammen: 1331 im Bodenseestädtebund, 1376 im Schwäbischen Städtebund. Nach außen waren sich die Städte einig, im Innern gab

es aber Konflikte. So ging es bei frühen Kämpfen der Bürger gegen die Stadther-ren um persönliche Grund- und Freiheits-rechte sowie um die gerechte Verteilung von Lasten. Im 14. Jahrhundert brachen die Gegensätze im Kampf um die Zunft-verfassung vollends auf: Kaufleute und Handwerker organisierten sich in berufs-ständischen Köperschaften und schränk-ten die Privilegien der Patrizier ein. So erinnert in Ulm der „Schwörmontag" (vorletzter Montag im Juli) daran, daß al-le Macht vom städtischen Volk ausgeht, der Oberbürgermeister schwört öffentlich, ein Gleicher unter Gleichen zu sein. Die Städte waren auch kulturelle Zentren, sie zogen Künstler an, hier entstanden Schu-len und Bibliotheken, die es mit den Klö-stern aufnehmen konnten.

Mit der Entdeckung Amerikas veränder-ten sich die Handelswege und Waren-ströme, und der Mittelmeerraum wurde als Schiffahrtszentrum von Atlantik und Nordsee abgelöst, Oberschwaben geriet in den Verkehrsschatten. Das Textilgewerbe verlor bereits nach dem Dreißigjährigen Krieg seine Bedeutung, dem Getreidehan-del erwuchs im 19. Jahrhundert Konkur-renz in Ungarn und Rußland. Der zentrale Einschnitt aber war der Übergang Ober-schwabens an Württemberg mit der Rheinbundakte von 1806. Nach dem Staatsvertrag mit Bayern kam es 1801 vollends zur großen Flurbereinigung; der dicke König Friedrich I. von Württemberg konnte sich Biberach, Buchau, Buchhorn-Friedrichshafen, Leutkirch, Ravensburg, Wangen und Ulm einverleiben und seinen Traum von einem Reich vom Main bis zum Bodensee verwirklichen. Ober-schwabens Städte wirken heute zwar oft etwas verschlafen, ihre Einwohnerzahl bewegt sich zwischen 60 000 (Friedrichs-hafen), 45 000 (Ravensburg) und 10 000 (Riedlingen, Mengen), rückständig sind sie jedoch nicht. Längst gibt es eine tief-greifende Industrialisierung, auch wenn sie sanfter als andernorts verlief: Man fin-det kaum noch Textilherstellung, dafür Maschinenbau, seltener Holzbearbeitung, dafür Pharmazie und High-Tech. Mit der 1850 fertiggestellten „Südbahn" wurde Oberschwaben ans deutsche Eisenbahn-netz angeschlossen, inzwischen ist es durch zahlreiche Landes- und Bundesstra-ßen erschlossen, Autobahnen berühren es indes nur am Rand.

Tiefe Verletzungen hat vor allem die „Un-terwerfung unter Württemberg", so der Politikwissenschaftler Hans-Georg Weh-ling, hinterlassen. Die neuwürttembergi-schen Gebiete, die mit 690 000 zusätz-lichen Einwohnern (darunter 460 000 Katholiken) und 10 000 Quadratkilometer Land eine Verdoppelung des Staatsgebil-des erbrachten, wurden von Altwürttem-berg annektiert und kolonialisiert. So zwang Stuttgart den Oberschwaben seinen pietistisch-industriösen Wertekatalog auf, schickte Beamte, Lehrer und Soldaten wie Missionare in einen „schwarzen Erdteil", nahm wenig Rücksicht auf Religion und Tradition. Oberschwaben geriet in eine Randlage, es wurde nicht integriert, son-dern zur Provinz degradiert. Seine Bewoh-ner wurden Objekte der Umerziehung, die ihnen bis hinein ins Sprachverhalten Min-derwertigkeitskomplexe vermittelte. Die Gründung einer katholischen Universität in Ellwangen wurde nie verwirklicht, katholische Theologen studieren weiter an der Landesuniversität Tübingen. Mit dem Bistum Rottenburg wurde zwar ein von Stuttgart ferneres Gebilde geschaffen, aber zugleich das 1200jährige Bistum Konstanz ausgelöscht. Nach 1945 wurde Tübingen vorläufige Landeshauptstadt, und hier ist weiterhin der Sitz des für Oberschwaben zuständigen Regierungs-präsidiums.

Glattgeschliffen von eiszeitlichen Gletschern: Weiche
Moränenhügel bestimmen
das harmonische Land-
schaftsbild Oberschwabens
wie hier bei Biberach.

Worn smooth by Ice Age
glaciers: soft moraine hills
define the harmonious natu-
ral scenery of Upper Swabia,
as here near Biberach.

Poli jusqu'à en être lisse par
les glaciers du quaternaire,
des collines morainiques
doucement inclinées con-
fèrent au paysage de la Haute-Souabe son aspect har-
monieux, comme on le voit,
ici, dans les environs de
Biberach.

Stadt der Tore und Türme: Ravensburg war zwischen 1400 und 1530 Sitz der Großen Handelsgesellschaft, einer Art süddeutscher Hanse mit Niederlassungen in ganz Europa. Der Marienplatz mit Waaghaus und dem 1553 bis 1556 eingebauten Blaserturm, von dem einst der Wächter mit einem Hornsignal Uhrzeit und Unbilden meldete, zeugt von bürgerlichem Reichtum und städtischer Wehrhaftigkeit.

City of gates and towers: between 1400 and 1530 Ravensburg was the headquarters of the Grosse Handelsgesellschaft, or Great Trading Association, a kind of South German Hanseatic League with branches throughout Europe. Marienplatz square with the Waaghaus and the Blaserturm, built in 1553–1556, bear witness to the wealth of its citizens and the town's ability to defend itself. Guards used to blow a horn from the top of the tower to signal the time or to warn of impending danger.

Ville des portes et des tours: entre 1400 et 1530, Ravensburg fut siège de la «grande Société commerciale», sorte de ligue hanséatique de l'Allemagne du Sud, disposant d'établissements dans toute l'Europe. La Marienplatz avec la Waaghaus (bâtiment abritant le Poids public), ainsi que la Blaserturm, aménagée en 1553–56, et d'où, jadis, la sentinelle annonçait, au son de la corne tant l'heure que les événements funestes, atteste de l'aisance bourgeoise de ses habitants et de la capacité de la ville à se défendre.

Feudale Trutzburg und touristischer Ausguck: Vom Schloß Heiligenberg bei Salem, das die Fürsten von Fürstenberg 1546 im Renaissancestil umbauten, schweift der Blick bei gutem Wetter über den Bodensee bis in die Schweizer Alpen.

Feudal fortress and tourist viewing point: in good weather the view from Schloss Heiligenberg near Salem, which the princes of Fürstenberg converted in Renaissance style in 1546, stretches across Lake Constance as far as the Swiss Alps.

Château féodal en même temps que poste d'observation pour touristes: du château de Heiligenberg, près de Salem, que les princes de Fürstenberg remanièrent, en 1546, dans le style de la Renaissance, la vue s'étend, par temps clair, jusqu'aux Alpes suisses, par-delà le lac de Constance.

Ulm und Oberschwaben – das ist nicht nur der Titel einer Kulturzeitschrift, in dieser Kombination drücken sich auch verwandte Seelenlagen und vielfältige Verflechtungen knapp und pointiert aus. Ulm, die alte freie Reichsstadt mit dem gotischen Münster, vermittelt vom Rande Oberschwabens her deren Bewohnern so etwas wie zentrale Urbanität, die man in der Region selbst nicht findet. In Ulm kann man bereits das eigenartige oberschwäbische Flair spüren, eine Mischung aus mediterraner Heiterkeit und Bodensee-Klima. Ulm ist Drehscheibe und Umsteigebahnhof. Allerdings sollte man sich mit dem letzten Wangener Landrat Walter Münch bewußt sein: „Ulm hat geistige Ausstrahlung und kulturelle Anziehungskraft, mehr als es weiß, aber weniger als es braucht." Das sagte er 1969 zur Eröffnung des neugebauten Ulmer Theaters. Seitdem laufen aber, wenn nicht alles täuscht, die geheimen kulturellen Kraft- und Sehnsuchtsströme bisweilen durchaus auch in umgekehrter Richtung – in der Ulmer Donau spiegelt sich der oberschwäbische Barock-Himmel besonders schön.

Ulm ist also der ideale Ausgangspunkt, wenn man Oberschwaben entdecken und bereisen will. Nicht nur in Wangen bleibt man hangen, wie ein zum Strang Verurteilter einst gescherzt haben soll, auch Ulm fesselt neugierige Besucher und trägt dazu bei, sich auf das Hinter- bzw. Oberland einzulassen, so daß die schnelle Autobahnfahrt zum Bodensee an den Rändern Oberschwabens entlang nicht unbedingt sein muß. Der Norden Oberschwabens erschließt sich am besten bei einer Fahrt donauaufwärts, beim Besuch der ehemals vorderösterreichischen Landstädte Ehingen, Munderkingen und Riedlingen, und dann weiter bis nach Meßkirch. Dabei erfährt man immer wieder, wie fließend die Grenzen und Übergänge Oberschwabens sind, zur Schwäbischen Alb etwa oder zu den ehemals hohenzollerischen Gebieten.

Und man bekommt zumindest eine Ahnung davon, wie österreichisches Bewußtsein und Habsburger Geschichte sich in der oberschwäbischen Provinz an sinnfälligen und eher beiläufigen Details noch heute zeigen: etwa an Wirtshaus-Namen wie „Zum Adler" oder – wenn man sich einst besonders betont österreichisch gab – „Zum Schwarzen Adler", an weiß-rot gestrichenen Klappläden an herrschaftlichen Gebäuden oder an – nicht nur – fastnächtlichen Bürgerwehren, die soeben aus einer habsburgischen Operettenwelt entstiegen scheinen, um ihrer Kaiserin Maria Theresia ernsthaft zu huldigen, an heraldischen Details wie österreichischen Bindeschildern, weißen Schildern mit einem roten waagerechten Band durch die Mitte, oder schließlich an den allmählich (leider) verblassenden Doppeladlern auf Scheunen- oder Stadttoren.

Im Ulmer Fischer- und Gerberviertel wurde früher in aller Öffentlichkeit gearbeitet, heute ist es ein beliebtes Ausflugsziel.

In former times the fishermen's and tanners' district of Ulm was a hive of working activity. Nowadays it is a popular place for outings.

La vie des artisans du quartier des pêcheurs et des tanneurs de la ville d'Ulm s'exerçait jadis en public. Le quartier est aujourd'hui un lieu d'excursions très prisé.

Allerdings sollte man unbedingt einen Abstecher nach Wiblingen und Laupheim vorschalten, bevor man von Ulm donauaufwärts fährt. Allein der Kontrast zwischen dem lärmigen Verkehrsgewühl auf breiten Betonbrücken über die Donau und – nur wenige Minuten später – der klösterlichen Besinnlichkeit inmitten der großartigen Bauwerke in Wiblingen läßt auch einen hartgesottenen Alltagsmenschen nicht ganz unberührt. Die Grafen von Kirchberg haben hier für ihr Seelenheil und das ihrer Nachfolger ein Benediktinerkloster gestiftet, das nicht nur zu den schönsten Bauwerken Oberschwabens zählt, sondern das vor allem eine Ahnung davon vermittelt, wie durch große Architektur und die Beachtung strenger Ordensregeln im Laufe etlicher durch Neubau und Umbau ausgefüllter Jahrhunderte ein gottgefälliges Werk entstand. Darüber kann man sich auf dem Klostergelände in der Dauerausstellung „900 Jahre Wiblingen: Kloster, Dorf, Stadtteil" seit 1993 informieren; man kann außerdem nachlesen und Bilder betrachten, wie das 700-Seelen-Dorf in den letzten vierzig Jahren um mehr als das Zwanzigfache wuchs und welche sinnfälligen Auswirkungen damit verbunden sind.

Anschließend sollte man den geheimen Zusammenhang von Eiszeit und Industrieansiedlung im Tal der Donau zwischen Erbach und Ulm auf sich wirken lassen. Donau und Iller waren vor allem wichtige Transportwege. Von der noch gut erhaltenen Bastionärsbefestigung Ulms aus dem 16./17. Jahrhundert kann man hinunterschauen auf die ehemaligen Schopperplätze der Ulmer Schiffer. Hier wurden die illerabwärts angelandeten Flöße gestapelt und zu „Ulmer Schachteln" zusammengebaut. Das Holz wurde dann in Richtung Wien transportiert; erst 1897 beendete die konkurrenzlose Eisenbahn diese „Ordinari"- bzw. Linienschiffahrt. Heute sind „Ulmer Schachteln" nur noch zu touristischen Erlebniszwecken auf den alten Wegen im Einsatz. Die geologische Beschaffenheit dieses nördlichen Dreiecks Oberschwabens hat die Voraussetzungen geschaffen für Kiesabbau im großen Stil, Wasserentnahme für eine Großstadt und – auf aufgeschütteten Riedflächen – für das größte Ulmer Gewerbeareal. Und nicht zuletzt finden sich hier auch ideale Bedingungen für verschiedene (Fluß-)Kraftwerke. Ein Stück donauaufwärts kann man im Gelände immer noch den Wandel von Flußlandschaften gut ablesen: zwischen Untermarchtal und Ehingen suchte sich die einst (bis Mitte der Rißeiszeit) durch das Buchtal und das Kirchener Tal fließende Donau ein südlicher gelegenes, endgültiges (?) Flußbett. Man sieht also – wie auch sonst häufig in Oberschwaben – schon an diesem kleinen Weltausschnitt, wie sich Natur und Kultur innigst und scheinbar ganz „natürlich" verschmelzen,

Einkehr im Alltag: Die Kirche des ehemaligen Benediktinerklosters Wiblingen bei Ulm.

Quiet contemplation as part of everyday life: the church of the former Benedictine monastery of Wiblingen near Ulm.

Lieu de recueillement au milieu de l'agitation quotidienne: l'église de l'ancienne abbaye bénédictine de Wiblingen, dans les environs d'Ulm.

wie natürliche, geologische Voraussetzungen, historische Rechte und aktuelle Interessen eine Einheit bilden – kein Wunder, daß in diesem schönen Land zum Beispiel die Fischereirechte noch immer adlige und grundherrliche Gewohnheiten sind, während sie andernorts schon lange demokratisiert wurden.

Auf dem Weg nach Laupheim streift man die karge, waldbedeckte Schotterterrassen-Landschaft der Holzstöcke, ein geologisch interessanter Kontrast zur ansonsten weitgeschwungenen Landschaft des nördlichen Oberschwabens. Laupheim kann man auf der seit 1966 gut ausgeschilderten Hauptstrecke der Oberschwäbischen Barockstraße, einer der ersten touristischen Ferienstraßen der Bundesrepublik, erreichen, aber auch über den 1977 eingerichteten, sehr familienfreundlichen Radwanderweg Donau-Bodensee. Laupheim bietet eine – auch sonst für Oberschwaben typische – Mischung aus alten (Fachwerk-) Bauten und moderner Architektur. Hier steht eines der ersten, im wahrsten Wortsinne „gläsernen" Rathäuser, das durchaus Bürgernähe symbolisiert. Das Tal der Rottum wird jedoch beherrscht vom mächtigen Schloß Großlaupheim, dessen Hauptbau mit den vier Ecktürmen schon den Bauernkriegs-Bauern täglich sinnennah und Ohnmacht stiftend vor Augen führte, wer Herr in feinen Kleidern und wer Knecht im Schweiße seines Angesichts war. Seit 1730 wurden in Laupheim aufgrund von vertraglichen Regelungen (Schutzbriefen) Juden angesiedelt, die mit Viehhandel, Textilbearbeitung und Handwerksberufen Laupheims Reichtum mehrten. Im 19. Jahrhundert beherbergte diese Stadt die mit 850 Mitgliedern größte jüdische Gemeinde im Königreich Württemberg. Was die Nazis von dieser eindrucksvollen Kultur nicht zerstörten, pflegt und erhält eine Bürgerinitiative, vor allem die rund tausend Grabsteine auf dem einzigartigen jüdischen Friedhof – der älteste noch zu entziffernde Grabstein stammt von 1740.

In Süddeutschlands modernstem Planetarium mittlerer Größe kann man multimedial in die Sterne schauen und in schön renovierten Kulturdenkmälern, vor allem in der ehemaligen jüdischen Wirtschaft „Rother Ochsen", bei kulinarischen Spezialitäten über die Zeitläufte nachsinnen, die den Laupheimer Carl Lämmle (Jahrgang 1867) Anfang dieses Jahrhunderts zu einem der einflußreichsten Hollywood-

Laupheim, hier der alte jüdische Friedhof (links), war einst die größte jüdische Gemeinde in Württemberg. Früher war Ehingen an der Donau (rechts) Sitz der schwäbisch-österreichischen Landstände.

Laupheim, whose old Jewish cemetery is shown here (left), was once the largest Jewish community in Württemberg. Ehingen on the Danube (right) used to be the seat of the Swabian-Austrian estates-general.

Laupheim, dont on voit ici l'ancien cimetière juif (à gauche) abritait autrefois la plus importante communauté juive du Wurtemberg. Ehingen, situé en bordure du Danube (à droite) était jadis le siège des états souabes-autrichiens.

Produzenten aufsteigen ließen. Wenn oberschwäbische Talente die angestammte Region verlassen, haben sie – wie weiland auch Wieland – alle Chancen, in der Fremde Weltruhm zu erlangen.

Doch zurück zur Donau, zum „Gefühl luftiger Weite und geruhsamer Beschaulichkeit", wie ein Heimatfreund den Eindruck der Landschaft um den alten Handelsweg von Ulm nach Sigmaringen einst trefflich beschrieb. Zu diesem Eindruck trägt der Besuch der sogenannten „Fünf Donaustädte" entscheidend bei: Riedlingen, Munderkingen, Mengen, Waldsee und Saulgau, später kam noch Ehingen dazu.

Das Haus Habsburg kaufte 1274 diese Landstädte, verpfändete sie zwar des öfteren im späten Mittelalter und in der Neuzeit; aber diese Donaustädte, die sich an den oberschwäbischen Reichsstädten und ihren freiheitlichen Verfassungen orientierten, blieben in ihrem „Herzen" bis heute habsburgisch. Man schaue sich daraufhin einmal die Marktplätze und die Lage der wichtigsten Amtsgebäude an – in Ehingen etwa das ebenso behäbig wie selbstbewußt-elegant dastehende Ständehaus (heute: Amtsgericht). 1749 wurde es als Sitz des Landtags und des Direktoriums der schwäbisch-österreichischen Landstände erbaut. Hierher kam aus dem 80 Kilometer entfernten, ebenfalls vorderösterreichischen Wurmlingen bei Rottenburg am 23. Februar 1772 der Deputierte Karl Bondiz geritten, um von den Gemeindesteuern („worbey die Gemeind viellen Schaden und Ohnkosten zu leiden gehabt") etwas hinwegzubringen – mit gutem Erfolg.

Soviel zur damaligen Erfahrung von oberschwäbisch-vorderösterreichischen Untertanen, die dazu mehrere Tagesreisen brauchten. Sicher hat dieser Deputierte das nur zehn Kilometer donauabwärts liegende Dörflein Oberdischingen nicht mehr aufgesucht. Dort residierte nämlich der „Malefizschenk", der baulustige Reichsgraf Schenk von Castell, der seine kleine Grundherrschaft zu einem modernen, spitzelgestützten Kriminalsystem ausbaute, ein privates Zuchthaus unterhielt, korrekt untersuchen und aburteilen ließ und von den Dieben, Mördern und Räubern, die nicht am Galgen endeten, Material für die „Herrengasse" heranschaffen ließ. Noch heute kann man mitten im Dorf diese stattlich-städtische Residenzstraße bewundern mit Häusern für Anwälte und Richter, Gasthaus und Apotheke.

Vielleicht hat unser Wurmlinger Bittsteller Karl Bondiz aber im Ehinger Heilig-Geist-Spital vorbeigeschaut. Solche Einrichtungen finden sich häufiger in oberschwäbischen Städten. Vermögende Bürger stifteten oder schenkten Geld, Besitz, Herrschaftsrechte an zins- und steuerpflichtige Dörfer. Diese Spitäler waren wohltätige Einrichtungen: Alten-, Armen- und Siechenheime, Krankenhäuser, Obdachlosenasyle, alles in einem – also eine wichtige Anlaufadresse für alle Mühseligen und Beladenen, gestiftet von Bürgern

zu ihrem eigenen Seelenheil und dem ihrer Nachkommen, wobei barocker Glaube und ein Schuß religiöser Mystik à la Heinrich Seuse („Nun tu einen fröhlichen Einblick in dich und sieh, wie der liebreiche Gott mit deiner liebenden Seele sein Liebesspiel treibt") immer wieder in Oberschwaben ganz handfeste Folgen zeitigten. Als 1806 auch Ehingen ins Königreich Württemberg eingemeindet wurde, diente das Spital dann als Kaserne, Schule und Heimatmuseum. Und als solches bietet es mit seinen aufschlußreichen Zeugnissen der Volksfrömmigkeit und der Ehinger Stadtgeschichte heute ein ideales Wahrnehmungs-Training, um anschließend die vielen kunst- und kulturgeschichtlich bedeutsamen Baudenkmäler in der Stadt richtig „lesen" und einschätzen zu können. Um aber keinen Zweifel aufkommen zu lassen: Ehingen wie Oberschwaben insgesamt ist keine denkmalgeschützte Ruhezone, sondern präsentiert modernes, vielfach pulsierendes Leben, zu dem eben die große Geschichte ganz selbstverständlich dazugehört. Die sorgfältig restaurierte Architektur macht die besondere Atmosphäre aus, sie ist ein andernorts häufig fehlendes Passepartout des Alltäglichen.

Bevor man donauaufwärts Riedlingen erreicht, sollte man – die B 311 jedoch eher meidend – das engwinklig-landstädtische Munderkingen ansteuern. Im Rathaus befindet sich eine historische Wandzeichnung mit Belagerungsszenen, als 1799 russische Truppen in der Stadt waren; auf dem Marktplatz steht ein schöner Renaissance-Laufbrunnen, und als Erinnerung geistert immer noch der 1767 in dieser Donaustadt geborene Karl Borromäus Weitzmann herum, ein österreichischer Sekreta-

rius und Anwalt, der als Mundartdichter derb-realistisch so zur Sache ging, daß Zeitgenossen nur von den „Weitzmannschen Scandalia" sprachen. Im selben Geist, aber in Gott und der Herrschaft gefälligeren Versen dichtete der Prämonstratenserpater Sebastian Sailer (1714–1777), der ganz in der Nähe, in Obermarchtal, zu Hause war. Die weitläufige Klosteranlage ist einer der ersten Barock-Akzente in Oberschwaben. Und die Sommerresidenz der Äbte im Schloß Mochental, etwas oberhalb des Donautals, beherbergt heute eine Galerie für moderne Kunst und das weltbedeutendste Besenmuseum. Hier erfährt man, wozu diese Sauberkeitswerkzeuge auch über den eigentlichen Gebrauch hinaus in verschiedenen Kulturen taugten – und das nicht nur zum Luft-Transport von rothaarigen Frauen.

Man sieht es dieser auf den ersten Blick idyllisch-behäbigen Stadt mit dem Storchenpaar auf dem Rathausgiebel nicht an: In Riedlingen wurde 1714 mit der „Ordinari Freytags-Zeitung" eine der ältesten Zeitungen der Welt gegründet. Riedlingen ist seit altersher eine Stadt der Märkte, über dreißig sind es im Jahr, vor allem umlandbezogene Schweine-, Vieh-, Zuchtvieh- und Krämermärkte, ein Fohlenmarkt und als – durchaus oberschwäbischer – Höhepunkt der Gallusmarkt am 16. Ok-

Der Chorherr, Prediger und Mundartdichter Sebastian Sailer (1714–1777).

Sebastian Sailer (1714–1777), canon, preacher and local dialect writer.

Sebastian Sailer (1714–1777), chanoine, prédicateur et poète dialectisant.

tober – an diesem wichtigen Tag im früheren Bauernleben („Auf St. Galles soll daheim sein alles") war die Ernte eingefahren, und man hatte Zeit, sich von schwerer Arbeit zu erholen, auf Märkte zu gehen und zu feiern. Der Bürgermeister notierte vor einigen Jahren in der Kreis-Chronik: „Nichts Großes, nichts Weltbewegendes geschah in dieser Stadt. Keine Grafen oder andere großen Herren hatten hier ihren Sitz." Riedlingen wurde – wie die anderen Donaustädte – nach Lust und Willkür der hohen Herren verkauft oder verpfändet: 1291 von den Grafen von Veringen an das Haus Habsburg. Dieses verpfändete Riedlingen 1314, 1334 und 1384, zuletzt an den Truchseß von Waldburg. Erst 1680 wurde die Stadt aus der Pfandschaft ausgelöst und kam wieder zu Österreich. Im Preßburger Frieden wurde sie 1805 Württemberg zugesprochen. Sehr idyllisch war das für die Bewohner sicher nicht immer. Und weil Riedlingen seit dem 13. Jahrhundert im Kreuzungspunkt wichtiger Handelsstraßen lag (Ulm – Sigmaringen, Schwäbische Alb – Bodensee, Biberach – Schwarzwald), ist dieser Marktort eben auch eine frühe Zeitungsstadt: die Nachrichten liefen mit den Waren- und Geldströmen zunächst kostenlos mit, bis sie dann selbst zur begehrten Ware wurden.

Von Riedlingen aus sollte man unbedingt eine nordoberschwäbische geologische Besonderheit aufsuchen: den Bussen. Dieser 767 Meter hohe Hügel ist eine Aufwölbung der Süßwassermolasse, die hier die von Gletschern aufgeschüttete Altmoränendecke durchbricht. Vielleicht hat die Gestalt dieser weithin sichtbaren Landmarke auch ihren geschichtsträchtigen, legendenumwobenen Charakter geprägt als „Heiliger Berg" Oberschwabens mit seiner Wallfahrtskirche zur schmerzhaften Gottesmutter. Früher wallfahrte man um Kindersegen, heute um gesegnete Kinder, man ißt „Bussenkindle" (eßbare Wickelkinder), hinterläßt frohe Botschaften („Maria hat geholfen" – „Es wurde ein Michael") und genießt die schöne Aussicht über Oberschwaben bis hin zu den Alpen. In der Nähe, bei Kanzach (in Richtung Bad Buchau) liegt der „Blinde See"; das einzige stehende Gewässer im nördlichen Altmoränenland wäre längst „erblindet", also zum Moor geworden, wenn es nicht immer wieder künstlich frei gehalten würde.

Allmählich geht die Reise donauaufwärts in den Südwesten Oberschwabens über. Bevor man in Scheer einen Punkt erreicht, ab dem man die gewaltige Kraft der jungen Urdonau beim Einsägen in die Kalkfelsen der Schwäbischen Alb (am eindrucksvollsten zwischen Beuron und Werenwag westlich von Sigmaringen) bestaunen kann, sollte man bei Hundersingen ein Zeugnis der frühen keltischen Besiedlung aufsuchen: die Heuneburg, ein strategisch verteidigungssicher angelegter Fürstensitz mit Viereckschanzen und einem der größten Grabhügel Mitteleuropas, dem 14 Meter hoch aufragenden Hohmichele. In der Hundersinger Zehntscheuer werden Funde aus frühgeschichtlicher Zeit anschaulich präsentiert. Die Kelten an der oberen Donau tranken Mittelmeer-Wein aus griechischen Gefäßen und waren auch sonst erstaunlich Europaoffen. Von der Heuneburg hat man einen weiten und schönen Blick nach Oberschwaben hinein.

Meßkirch bezeugt mit seinem Namen, „Kirche des Masso", die Zeit der frühen Christianisierung. Von 1319 bis 1594 regierten hier die Grafen von Zimmern; ei-

Martin Heidegger (1889–1976), der führende Vertreter der deutschen Existenzphilosophie, wurde in Meßkirch geboren.

Martin Heidegger (1889–1976), the leading representative of German existentialist philosophy, was born in Messkirch.

Martin Heidegger (1889–1976), éminent représentant de la philosophie existentialiste allemande, naquit à Meßkirch.

ner von ihnen, Froben Christoph, ließ sich im 16. Jahrhundert das vierflügelige Renaissanceschloß erbauen, das sich beim Hinaufsteigen auf den Hügel als eindrucksvolle Anlage über der Stadt entpuppt. Mit der „Zimmerschen Chronik" hinterließ der Schloßherr eine enzyklopädische, weit in die Alltagsniederungen des Volkes hineinreichende Familiengeschichte, in der sich die Welt des ausgehenden 16. Jahrhunderts schier unausschöpflich spiegelt. In der Stadtpfarrkirche St. Martin steht der Dreikönigsaltar des Jerg Ziegler, bekannt als bedeutender Maler der Reformationszeit („Meister von Meßkirch"). In dieser Stadt wurden der Komponist Konradin Kreutzer (1780–1849) und der Philosoph Martin Heidegger (1889–1976) geboren. Aus dem nahe gelegenen Kreenheinstetten stammt der

sprachgewaltige Prediger des Barock, Abraham a Sancta Clara (1644–1709). Auch dieser Berühmheit erweist man im Heimatmuseum die gebührende Reverenz.

Auf dem Weg nach Pfullendorf kommt man am Kloster Wald vorbei, einem ehemaligen Reichsadeligenstift der Zisterzienserinnen. Töchter aus schwäbischem Adel wurden hier in frommer Zucht erzogen, seit 1946 wird diese Tradition zeitgemäßer mit einer freien Schule mit Gymnasium und Internat für Mädchen fortgesetzt. Pfullendorf schließlich beeindruckt durch die gut erhaltene historische Altstadt. In dieser ehemaligen freien Reichsstadt hat sich eines der ältesten bürgerlichen Fachwerkhäuser Oberschwabens erhalten, das sogenannte Schoberhaus (von 1317). Bürgerstolz und Wehrhaftigkeit dokumentiert ebenso die beeindruckende Doppeltoranlage des oberen Tors, die wohl schönste weit und breit. Mit einer schwäbischen „Seele" (Weißbrotgebäck mit oder ohne Belag) bewaffnet – wenn man dann schon im Gehen essen muß – sollte man die vielen Zeugnisse der

frühen (Markt-)Bedeutung und der kulturellen Attraktivität Pfullendorfs genießen – eingedenk der historischen Tatsache, daß Pfullendorf ab 1919 für kurze Zeit zur Republik (!) Baden gehörte. Meßkirch und Pfullendorf liegen im Bereich der oberschwäbischen Übergänge und Grenzen – kein Wunder, daß sich ihre Bürger bisweilen besonders oberschwäbisch fühlen.

Die historische Altstadt von Pfullendorf präsentiert das Bild einer weitgehend unversehrten mittelalterlichen Stadt mit stolzen Bürgerhäusern und Wehranlagen.

The historic centre of Pfullendorf presents the picture of a largely unspoiled mediaeval town complete with proud bourgeois houses and ramparts.

Dotée de fières demeures bourgeoises et de fortifications, la vieille ville historique de Pfullendorf, de caractère médiéval, est demeurée en majeure partie intacte.

Der höchste Kirchturm der Welt: Das Ulmer Münster hat nicht nur einen 161 Meter hoch aufragenden Turm, sondern auch eine besonders reiche Innenausstattung. Der Grundstein wurde 1377 gelegt, erst 1890 wurde dieses Bauwerk abgeschlossen.

The tallest church tower in the world: apart from its 161-metre tower, Ulm Minster has a particularly ornate interior. Its foundation stone was laid in 1377, though building works were not completed until 1890.

Le plus haut clocher du monde: la cathédrale d'Ulm s'enorgueillit non seulement d'une tour dominant les environs de 161 mètres de hauteur, mais aussi d'un intérieur richement décoré. La première pierre fut posée en 1377, mais la construction de l'édifice ne prit fin qu'en 1890.

Kleine Stadt mit großer Vergangenheit: Die ehemals vorderösterreichische Land- und frühere württembergische Oberamtsstadt Riedlingen mit ihrem mittelalterlich-malerischen Stadtbild liegt immer noch im Schnittpunkt verschiedener Verkehrsströme von, durch und nach Oberschwaben.

Small town with a big past: the former Austrian provincial capital and Württemberg administrative seat of Riedlingen with its picturesque mediaeval townscape still lies at the intersection of various traffic routes from, through and to Upper Swabia.

Une petite ville au passé fécond: Riedlingen, autrefois rattachée à l'Autriche antérieure, et ancien chef-lieu wurtembergeois, ville au cachet médiéval fort pittoresque, est aujourd'hui encore située à l'intersection de plusieurs grands axes routiers venant de Haute-Souabe, la traversant ou y menant.

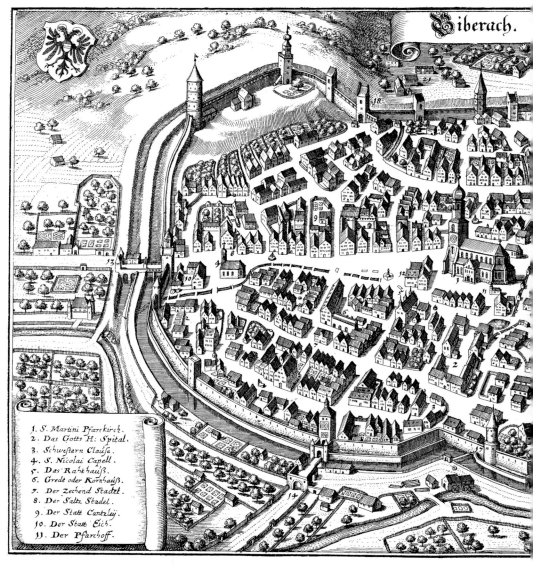

Das Land südlich der Schwäbischen Alb und des Donaubeckens, vor den sanften Ausläufern zum Bodensee gelegen und mit Blick auf die grandiose Kette der Allgäuer und Österreicher Alpen, bildet geographisch die Mitte Oberschwabens. Einen Mittelpunkt hat es nicht, sein Herz schlägt in der Vielfalt von Natur und Kultur. Aber die ländliche Region ist im Umbruch begriffen, ihre Schönheit bedroht durch Zersiedelung, Industrialisierung und Verkehr. „Asphalt und Beton! Nicht nur die Straßen sind es. Fabriken haben die Dörfer entstellt. Dazu kamen die städtischen Häuser und Wohnsiedlungen. Die Landschaft verliert ihr Gesicht", klagt die Schriftstellerin Maria Beig, die in Büchern wie „Rabenkrächzen" die Veränderungen beschrieben hat: die Beschleunigung im Lebensrhythmus, die Auflösung von Familienzusammenhängen, die Zerstörung der Lebensqualität – den „Ausverkauf des Paradieses", den Verlust von Heimat.

Aber noch ist Hopfen und Malz nicht verloren, wehren sich Umweltschützer gegen Flächenkahlschlag und Autobahnschneisen, versucht der Staat, mit einem Umweltprogramm die Weiher und Seen vor Gülle- und Abwassereinleitung zu bewahren und zu sanieren. Das 1985 eröffnete Naturschutzzentrum in Bad Wurzach dokumentiert, wie der jahrhundertelang betriebene Torfabbau unheilbare Wunden in den Mooren hinterlassen hat, wie Wanderwege durch die Feuchtgebiete zu touristischen Trampelpfaden wurden, wie der ökologische Haushalt gefährdet ist. Inzwischen wird auch sanfter Tourismus gepflegt, etwa im Landkreis Biberach mit dem „Erlebnisradeln von Hof zu Hof", das Einblick in die landwirtschaftliche Produktion gibt und zu Ferien auf dem Bauernhof animiert. Daß alternative Formen

der Energiegewinnung möglich sind – auch wenn manche von Landschaftsverschandelung reden –, beweist der Windpark auf dem Sturmberg bei Ilmensee. Hier stehen drei 60 Meter hohe Türme, deren Konverter drei Megawatt erzeugen, weit mehr als der Strombedarf der 1000-Seelen-Gemeinde.

„Stuegart, Ulm und Biberach …" – „Auf de schwäbsche Eisebahne" kann man immer noch nach Biberach an der Riß gelangen. Die Stadt bietet sich als Ausgangspunkt einer Reise durch Oberschwabens Mitte an. In ihr verbinden sich auf gelungene Weise Tradition und Moderne: Hier gibt es gleichermaßen Pharma- und Baumaschinenindustrie wie Altsämisch-Gerberei. Im Stadtbild gehen historische Bausubstanz und neuzeitliche Architektur eine gelungene Synthese ein. Von der früheren Befestigung mit über 20 Toren und Türmen sind nur noch wenige wie der Weiße und der Gigel-Turm sowie das Ulmer Tor übrig. Aber der Marktplatz mit seinen

beeindruckenden bürgerlichen Giebelhäusern, den mächtigen Fachwerkspeichern und der alles überragenden, von beiden Konfessionen genutzten „Simultankirche" St. Martin, ja selbst die historischen Toilettenhäuschen vermitteln etwas von der einstigen Reichsstadtherrlichkeit. Das Al-

Das „oberschwäbische Athen": Biberach, hier in Merians „Topographia Suevia" von 1643 – festummauert gegen Feinde, aber offen für die Musen.

The "Upper Swabian Athens:" Biberach, seen here in Merian's 1643 "Topographia Suevia" – surrounded by strong walls, but open to the Muses.

L'«Athènes de Haute-Souabe»: Biberach (dans la «Topographia suevia» de Merian parue en 1643) est cernée de murs d'enceinte, mais ouverte aux muses.

Biberach.

1. S. Martini Pfarrkirch.
2. Das Gotts H: Spital.
3. Schwestern Clause.
4. S. Nicolai Capell.
5. Das Rahthauß.
6. Grede oder Kornhauß.
7. Der Zechend Stadel.
8. Der Saltz Stadel.
9. Der Statt Cantzley.
10. Der Statt Eich.
11. Der Pfarrhoff.

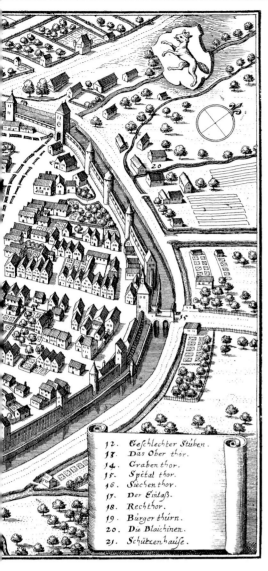

te Rathaus, ein Fachwerkbau von 1432, und das Neue Rathaus mit seinem türmchenverzierten Staffelgiebel von 1503 werden weiter von der Verwaltung genutzt. Die Untere Schranne, ein über 500 Jahre alter Kornspeicher, wurde zur Bibliothek umgebaut: Glas, Stahl und Sichtbeton bilden lichte Gegensätze zu den dunklen Eichenbalken. Im spätmittelalterlichen Heilig-Geist-Spital sind heute die städtischen Sammlungen untergebracht. Das zweigeschossige Satteldachgebäude aus dem 15. und 16. Jahrhundert mit Stufen- und Fialgiebeln umschließt einen Hof, in den Flügeln sind archäologische, geologische und botanische Fund-

stücke sowie heimatkundliche Zeugnisse zu sehen. Neben Werken der oberschwäbischen Malerei und Bildhauerei von der Gotik bis zur Gegenwart ist eine Abteilung den heimischen Tier- und Landschaftsmalern Anton Braith und Christian Mali gewidmet, die der Stadt ihren Nachlaß vermachten.

Biberach wird gern das „oberschwäbische Athen" genannt. Hier waren der Maler Johann Heinrich Schönfeld (1609–1684) und der Schriftsteller Christoph Martin Wieland (1733–1813) zu Hause. Hier waren die Bürger den Musen zugetan, sie gründeten eine „Löbliche Musikgesellschaft" und eine „Komödien-Gesellschaft". Das Wieland-Museum und die Gartenhäuser des Dichters lassen diese Epoche wiederauferstehen. Die einstige Schlachtmetzig wurde von 1650 an als Theaterhaus genutzt, unter Wielands Leitung fand hier 1761 die erste deutschsprachige Aufführung von Shakespeares Drama „Der Sturm" statt. Wieland, Biberacher Stadtschreiber und Senator, dachte später bei aller Weimarer Weltläufigkeit wehmutsvoll an die Heimat zurück: „Mein Biberach(…)/Mein Herz ewig doch vor allem/dir gewogen,/Fühlt selbst im Paradies sich noch aus/dir verbannt." Wieland ist auch im nahe gelegenen Schloß Warthausen präsent, das 1167 von Kaiser Friedrich Barbarossa erworben wurde und im 18. Jahrhundert unter den Grafen Stadion seine Blütezeit erlebte. Der aufgeklärte Reichsgraf Friedrich hielt sich in dem hoch auf einem Bergsporn gelegenen, mit Treppengiebeln und Ecktürmen bewehrten Schlößchen einen Musenhof, an dem neben Wieland die Schriftstellerin Sophie von La Roche und der Maler Johann Heinrich Tischbein verkehrten. Und bis heute hat sich die Provinz ihren offenen Kunstverstand bewahrt: so Adrian Kutter mit seinem Programmkino „Sternchen", einem bundesweit bekannten Cineastentreff.

Südlich von Biberach verläuft die Schwäbische Bäderstraße, an der das „schwarze Gold" Oberschwabens geschürft wird: Moor, das in Schlammbädern zur Heilung von rheumatischen Leiden und Gelenkerkrankungen verwendet wird. „So a Moorbad – Lob ond Preis!/Hilft dir gega Reißmatteiß!/Ond au für da Fall, daß jetzt's/Bäuchle hot z'viel Fett a'gesetzt" reimte der oberschwäbische Poet Wendelin Überzwerch. Vor allem nach dem

Zweiten Weltkrieg entstanden Heilbäder und Kurorte. Die touristische Gebietsgemeinschaft Allgäu-Bodensee-Oberschwaben verzeichnet jährlich 4,5 Millionen Übernachtungen. Knapp die Hälfte davon entfallen auf das Kur- und Bäderwesen, an das Tausende von Arbeitsplätzen gekoppelt sind. Entsprechende Sorge bereitet den Fremdenverkehrsmanagern die Gesundheitsreform, die eine Einschränkung des Betriebs mit sich bringt.

Insbesondere die vier zum „Bad" geadelten Städte Buchau, Schussenried, Waldsee und Wurzach sind von Kurparks und Sanatorien, Kneipp-, Moor-, Thermal- und Hallenbädern, Hotellerie und Gastronomie abhängig. Bad Buchau, einst die kleinste und ärmste Reichsstadt, war früher ein Fischerort. Und seit dem 16. Jahrhundert konnten sich hier Juden ansiedeln, die um 1800 ein Drittel der Einwohner-

Vom Biberacher Kanzleidirektor zum Weimarer Hofrat: Christoph Martin Wieland (1733–1813).

From director of the Biberach chancellery to Weimar court councillor: Christoph Martin Wieland (1733–1813).

Du poste de directeur de l'administration de Biberach à celui de conseiller à la Cour de Weimar: Christoph Martin Wieland (1733–1813).

schaft ausmachten. Die Stadt lag damals auf einer Halbinsel im Federsee, der noch rund tausend Hektar umfaßte. Inzwischen ist er stark verlandet, im 18. und 19. Jahrhundert wurde dem See das Wasser abgegraben, um landwirtschaftliche Nutzfläche zu gewinnen. Auf einem 1,5 Kilometer langen, mit Pfählen in den Moorgrund getriebenen Holzsteg führt der Weg durchs Schilf zum See, wo man auf einer Aussichtsplattform eines der größten Naturschutzgebiete Südwestdeutschlands überblickt – auf 140 Hektar leben 250 Vogelarten. Am Weg steht ein rechtwinkliger, eleganter Flachbau in einem künstlichen See: das 1967 von Manfred Lehmbruck erbaute Federseemuseum. Es erinnert an Pfahlbauten der frühen Siedler, sogenannte Wasserburgen. Hier bekommen die Besucher Einblick in die heimische Flora und Fauna, in die Frühgeschichte der Stein- und Keltenzeit. Unter den Grabungsfunden sind auch zwei rund 6000 Jahre alte Einbäume zu sehen. Vor den Toren der Stadt, bei Oggelshausen, stehen als Gegensatz dazu 16 moderne Steinskulpturen, die prähistorischen Stelen durchaus vergleichbar sind. Bad Buchau hat mit dem von 770 bis 1803 bestehenden reichsfürstlichen Damenstift und der heutigen Stadtpfarrkirche St. Cornelius und Cyprian ein Kleinod. Ende des 18. Jahrhunderts wurde die dreischiffige Basilika von Michel d'Ixnard im Stil des Frühklassizismus umgestaltet, bemerkenswert sind zudem der „Kavaliersbau" von 1709 und der 1744 von Giovanni Gaspare Bagnato errichtete „Fürstenbau". Im Stiftsmuseum ist eine Sammlung sakraler Kunst der Gotik und des Barock zu sehen. Bad Schussenried bietet den Besuchern neben seinem Moorbad jede Menge Baukunst: Im heutigen Stadtteil Steinhausen steht Dominikus Zimmermanns grandiose Wallfahrtskirche St. Peter und Paul. Der lichte, hohe Bau wurde 1728 bis 1733 errichtet und im Innern mit Stukkaturen und Gemälden von Dominikus Zimmermann und seinem Bruder Johann Baptist ausgestaltet. Die Attraktion in der ehemaligen Reichsabtei Schussenried ist nach wie vor der Bibliothekssaal im „Neuen

Kloster", geplant von Dominikus Zimmermann, ab 1750 verwirklicht von Jakob Emele. In dem Prämonstratenserkloster wurde wie in Weißenau und in Zwiefalten nach der Säkularisation ein sogenanntes Irrenhaus eingerichtet. In den späteren Heil- und Pflegeanstalten für psychisch Kranke wurden Hunderte von Patienten aufgrund der nationalsozialistischen Erbgesundheits- und Rassengesetze sterilisiert, Tausende als „lebensunwertes Leben" im Zuge der „Euthanasie"-Aktion T4 selektiert und in der Tötungsanstalt Grafeneck auf der Schwäbischen Alb ermordet. Heute versuchen hier nach dem Krieg eingerichtete moderne Zentren für Psychiatrie, auch diese Vergangenheit zu bewältigen und den Kranken wirkliche Zuflucht und Hilfe zukommen zu lassen.

Weiter auf der Bäderstraße, vorbei am Freilichtmuseum Kürnbach mit seinen stattlichen Bauernhäusern, gelangt man nach Bad Waldsee. Es liegt zwischen dem Stadtsee mit der Silhouette des barocken Turmpaars der ehemaligen Stiftskirche St. Peter und dem Schloßsee mit dem Waldburgschen Wasserschloß. Die Seen symbolisieren zwei Seiten der Stadtgeschichte: Um 850 gab es hier einen fränkischen Königshof, 1298 erhielt der Ort Stadtrecht, später wurde er von Österreich an die Truchsessen von Waldburg verpfändet. Im Bündnis mit den anderen habsburgischen „Donaustädten" Ehingen, Munderkingen, Riedlingen, Mengen und Saulgau suchten die Bürger Schutz, aber erst 1680 konnten sie sich von der Herrschaft loskaufen. Von der einstigen Wehrhaftigkeit Bad Waldsees kündet noch das Wurzacher Tor, von seinem Selbstbewußtsein das 1426 erbaute Rathaus – damals gab es ganze 500 Einwohner! Das Gebäude gehört mit seinem gotisch-gestaffelten Schaugiebel und einer prächtigen Fensterfassade zu den schönsten Profanbauten Oberschwabens. Unter den klerikalen ragt das ehemalige Augustiner-Chorherrenstift

mit der jetzigen Stadtpfarrkirche St. Peter und deren charakteristischen, über Eck gestellten Türmen, dem Hochaltar von Dominikus Zimmermann und der Grabplatte für Truchseß Georg I. von Waldburg hervor. Zu den ältesten Einrichtungen der Stadt zählt das Heilig-Geist-Spital, das 1298 erstmals erwähnt, 1856 mit einer neugotischen Fassade geschmückt wurde. Das Kornhaus aus dem 15. Jahrhundert mit seinem Staffelgiebel ist heute stadtgeschichtliches Museum. Der Gut-Betha-Brunnen erinnert an die 1386 in Waldsee geborene und 1767 seliggesprochene Mystikerin Elisabeth Achler; sie ist im nahe gelegenen Wallfahrtsort Reute beerdigt und wird als „gute Beth" verehrt. Sehenswert sind schließlich das Franziskarinennenkloster St. Klara und die Frauenbergkapelle mit dem Zürn-Hochaltar.

Bad Wurzach, die vierte Bäderstadt, besitzt das älteste Moorheilbad Baden-Württembergs, das 1936 eingerichtet wurde. Stadtrechte hatte es bereits um 1330, vor allem aber war es Residenz der Grafen und späteren Fürsten von Waldburg-Zeil-Wurzach. Deren Neues Schloß (1723–1728), eine Dreiflügelanlage, heute Internatsschule und Wohntrakt, besticht vor allem durch sein Treppenhaus: Über drei balustradengeschmückte Stockwerke schwingt es sich hinauf zum Deckengemälde mit Motiven aus der Herkulessage. Beachtlich ist auch die Pfarrkirche St. Verena, 1775–1777 von Christian Jäger im Stil des französischen Klassizismus errichtet; das große Deckengemälde, den Triumph der Kirche darstellend, stammt von Andreas Brugger. An der Straße nach Ravensburg liegt das ehemalige „Leprosenhaus" aus dem 13. Jahrhundert, ein Beispiel früher Krankenpflege. Und südöstlich der Stadt lohnt die Wallfahrtskirche Gottesberg ei-

1298 erhielt Waldsee das Stadtrecht. Das Rathaus mit dem gotischen Schaugiebel entstand 1426.

In 1298 Waldsee gained its town charter. The Gothic-gabled town hall was built in 1426.

C'est en 1298 que Waldsee obtint les privilèges urbains. L'hôtel de ville au pignon d'apparat, remontant au gothique, fut érigé en 1426.

nen Besuch, 1704 vom Hause Waldburg gestiftet und mit Altären des heimischen Bildhauers Johannes Ruez ausgestattet. Vor allem aber ist Wurzach vom Wurzacher Ried umgeben, dem größten Hochmoor Mitteleuropas. Auf 1100 Hektar wurde hier ein Naturschutzgebiet eingerichtet, in dem eine reiche Wasservogelwelt und 150 eiszeitliche Pflanzen überlebten.

Neben den Bäderstädten sind in der Gegend besonders Burgen und Schlösser zahlreich. Schloß Zeil, wenige Kilometer südöstlich von Wurzach, ragt auf einem 749 Meter hohen Berg weit über die Leutkircher Heide hinaus. Erstmals 1123 genannt, war die alte Burg in wechselndem Besitz der Grafen von Bregenz, der Mont-

forts und Kaiser Friedrichs II. 1337 kam sie an die Truchsessen von Waldburg, nach der Trennung in die Linien Waldburg-Wolfegg und Waldburg-Zeil wurde 1598 mit dem Neubau des Schlosses unter Jörg Reutter begonnen. Aber erst 1888 war die mächtige Renaissance-Vierflügelanlage mit Eckpavillons, Beamtenhäusern und der Pfarrkirche Mariä Himmelfahrt vollendet. Heute lebt hier Fürst Waldburg-Zeil, das Schloß birgt umfangreiche Sammlungen, eine kostbare Bibliothek und ein Archiv mit Dokumenten aus der Zeit des Truchseß Georg. Der „Bauernjörg" hatte das Schloß, das er bis dahin nur pfandweise besaß, zum Lohn für die blutige Niederschlagung des Bauernaufstands bekommen. In der Kirche sind besonders der 1763–1764 entstandene Hochaltar von Joseph Anton Feuchtmayer, Johann Georg und Franz Anton Dürr sowie das 1611 von Jakob Brendel geschnitzte Chorgestühl hervorzuheben.

Eine ähnlich dominante Lage hat das auf einem Höhenrücken über der Ach thronende Schloß Wolfegg. Seit dem 13. Jahrhundert ist Wolfegg im Besitz der Truch-

Das „Leprosenhaus" bei Bad Wurzach beherbergte seit dem 13. Jahrhundert sogenannte Aussätzige. Ein kleines Museum erinnert hier an das große Werk des „Moormalers" Sepp Mahler (1901–1975).

The "Lepers' House" near Bad Wurzach began accommodating outcast lepers in the thirteenth century. A small museum here recalls the great work of the "moor painter" Sepp Mahler (1901–1975).

A partir du XIIIe siècle, la «Léproserie», près de Bad Wurzach, accueillit les lépreux mis en ban de la société. Un petit musée rappelle ici l'œuvre magistrale du «peintre des tourbières», Sepp Mahler (1901–1975).

sessen von Waldburg. Anstelle des niedergebrannten Alten Schlosses ließ Truchseß Jakob 1578–1586 eine wuchtige Vierflügelanlage im Stil der italienischen Renaissance mit Ecktürmen errichten, nach Verwüstungen im Dreißigjährigen Krieg wurde sie umfassend renoviert. Gleich benachbart liegt die Stifts- und Schloßkirche, die heutige Pfarrkirche St. Katharinen, ein Hauptwerk Johann Georg Fischers. Das Langhaus mit schmalen Seitenschiffen öffnet sich im Innern zu einem prächtigen Zentralraum mit Frührokoko-Ausstattung. Neben Deckenbildern von Joseph Spiegler beherbergt das Gotteshaus Gemälde des Rubens-Schülers Caspar de Crayer. Kirche und Schloß sind durch einen Gang verbunden, der Fürst hat noch die Patronatsrechte. Zusammen mit den Beamtenhäusern bietet der Ort das Bild einer kleinfürstlichen Residenz – die heute auch durch ihr reiches Konzertleben, das Automobilmuseum von Fritz B. Busch mit seinen 200 Oldtimern und das Freilichtmuseum mit seinen Bauernhäusern bekannt ist.

Kißlegg hat gleich zwei Schlösser: das alte der Fürsten von Waldburg-Wolfegg, eine spätmittelalterliche Anlage, und das neue der Fürsten von Waldburg-Zeil, das Johann Georg Fischer Anfang des 18. Jahrhunderts errichtete. In letzterem sind jetzt die Kurverwaltung und ein Museum für „Expressiven Realismus" untergebracht. An einem der beiden Seen des Ortes liegt die Pfarrkirche St. Gallus, eine von Johann Georg Fischer barock umgestaltete mittelalterliche Basilika. Hier ist es insbesondere der „Silberschatz" von Franz Christoph Mäderl, der Besucher anzieht: 21 Figuren, Büsten von Christus und Maria, den Kirchenvätern und Aposteln sowie Reliquiare und ein Kreuz.

Zu den Residenzen zählen im Westen Oberschwabens schließlich Altshausen, Aulendorf und Königseggwald. Altshausen, ursprünglich im Besitz der Grafen von Veringen, kam 1246 an den Deutschritterorden, der seine Kommende hierher verlegte, 1410 bis 1806 herrschte ein Landkomtur über die reiche „Ballei" Elsaß-Schwaben-Burgund. Eine weitläufige symmetrische Anlage, deren ambitionierte, von Giovanni Gaspare Bagnato und Franz Anton Bagnato um 1730 geplante Neubauten nicht vollendet wurden. Aber auch so zeigen Marstall und Reitschule, Orangerie und vor allem der Torbau, alle mit rötlich-gelbem Anstrich, den Schwung und zugleich die Wucht des deutschen Barock. Die Pfarrkirche St. Michael, 1748–1753 auf der Basis einer gotischen Pfeilerbasilika entstanden, be-

sitzt einen wertvollen Reliquienschrein von 1210 sowie Deckenmalereien von Joseph Appiani und Stukkaturen von Joseph Pozzi. Seit 1919 ist Altshausen Sitz der katholischen Linie des Hauses Württemberg, im Schloßpark hat die Herzogin einen Skulpturenpark eingerichtet.

Aulendorf gehörte unterschiedlichen Herren: zunächst den Welfen und Staufern, von 1381 an war es Sitz der Herren von Königsegg. Das weitläufige Schloß spiegelt diesen Wechsel im Stilbild wider: Romanik, Gotik, Barock. Michel d'Ixnard schuf schließlich 1778 bis 1781 die klassizistische Fassade. Unmittelbar ans Schloß schließt die Kirche St. Martin an, trotz häufiger Umbauten ist noch die gotische, dreischiffige Basilika erkennbar. Aulendorf ist heute Kneippkurort und wichtiger Eisenbahnknotenpunkt. In Königseggwald bei Ostrach erbaute d'Ixnard 1765 bis 1768 für die Grafen von Königsegg noch ein (früh)klassizistisches Schloß: einen schlichten, rechteckigen Baukörper mit zwei Hauptgeschossen und einem Mittelrisalit unter flachem Dreiecksgiebel, dem ein Altan auf Doppelsäulen vorgestellt ist.

Gesegnet ist Oberschwaben natürlich auch mit Klöstern. Herausragend ist das 1093 gegründete Benediktinerkloster, die spätere reichsfürstliche Abtei Ochsenhausen, mit seinen weitläufigen Konventsgebäuden und der barockisierten Kirche St. Georg. Ähnlich imposant präsentiert sich das 1126 entstandene Prämonstratenserstift Rot an der Rot mit seiner zweitürmigen, um 1780 errichteten Kirche St. Maria und Verena. Aber auch kleinere Klöster lohnen einen Abstecher: Frauenklöster wie das um 1240 gegründete Zisterzienserinnenkloster Gutenzell bei Ochsenhausen mit der von Dominikus Zimmermann 1755/56 umgebauten Pfeilerbasilika St. Cosmas und Damian oder das Dominikanerinnenkloster Sießen bei Saulgau, eine Anlage von Christian Thumb, die sich um Dominikus Zimmermanns Kirche St. Markus gruppiert. Auch die 1230 gestiftete Zisterzienserinnenabtei Baindt bei Ravensburg mit ihrer romanischen dreischiffigen Basilika St. Johannes Baptist, das 1212 gestiftete Zisterzienserinnenkloster Wald bei Pfullendorf sowie das ehemalige Dominikanerinnen- und heutige Benediktinerinnenkloster Habsthal bei Ostrach, 1259 gestiftet und 1680 mit einem Bau von Jodok Beer ausgestattet, sind zu nennen. Viele dieser Klöster wurden nach der Säkularisation „umgewidmet" und werden heute profan genutzt: In Wald, wo einst die Töchter des oberschwäbischen Adels erzogen wurden, leiten Benediktinerinnen ein angesehenes Internat für breitere Bevölkerungsschichten. In Obermarchtal wurde eine katholische Akademie, in Rot an der Rot ein Jugendheim und in Ochsenhausen eine Landesmusikakademie für junge Musizierende eingerichtet. Aber auch eher unauffällige Landstädtchen wie Saulgau und Ostrach sollen nicht vergessen werden. Ostrach war lange Verwaltungssitz des Klosters Salem, später hohenzollerische Exklave. Bemerkenswert ist Michael Wiedemanns 1704 bis 1706 errichtete Pfarrkirche St. Pankratius mit Heiligenreliefs von Melchior Binder. Saulgau, 819 erstmals urkundlich erwähnt und 1239 zur Stadt erhoben, besitzt einen schönen Marktplatz mit restaurierten Fachwerkhäusern des ehemaligen Spitals,

einem feingliedrigen Marktbrunnen und der schlichten, spätgotischen Pfarrkirche St. Johannes aus dem frühen 15. Jahrhundert. Auf ihrem Glockenturm nisten Störche, wie überhaupt Oberschwaben mit zwei Dutzend Brutpaaren und über 30 Jungstörchen pro Jahr ein Eldorado der Adebare ist. Besonders erwähnenswert ist noch das überlebensgroße, romanische Holzkruzifix in der Kreuzkapelle. Auch die Neuzeit hat einiges zu bieten. Neben dem modernen Thermalbad laden zwei Galerien zum Besuch ein: Die städtische „Am Markt" zeigt unter anderem die „Kreuzesaufrichtung" von Otto Dix und Moorlandschaften von Sepp Mahler, „Die Fähre" bietet beachtliche Wechselausstellungen zeitgenössischer Kunst. Und dann ist da die gediegen-ehrwürdige „Kleber-Post", ein seit 1671 in Familienbesitz befindliches Hotel mit Restaurant. Ihre Wirte waren früher zugleich Postmeister der Fürsten von Thurn und Taxis. Heute ist das Restaurant, so urteilen selbst gestrenge Gastrokritiker des „Gault Millau", ein „Elysium der Gastlichkeit". Fortsetzung der deftigen oberschwäbischen Küche, der Nonnafürz und Dinnete, der Kässpätzle und Leberknödel, der gefüllten Flädle und gebutterten Seelen mit modernen Mitteln: Hier werden Holunderblüten in Champagnerteig gebacken oder zahllose Varianten des Federsee-Wallers (Wels) serviert. Hier feierte die „Gruppe 47" ihre frühen Jahre und den beschwingten Abschied, hier tafelten Helmut Kohl und Roman Herzog mit dem 100jährigen Ernst Jünger.

Kunst und Eßkultur satt. Rasten läßt sich aber auch im Grünen. Man kann in einem der über hundert kleinen Seen und Weiher baden, Boot fahren, angeln. Da sind der große Illmensee und der verträumte Ruschweiler See, der durchaus trauliche Schreckensee oder der ringsum bewaldete Hoßkircher See. Im Unterschied zum ziemlich überlaufenen Wurzacher Ried ist das Pfrunger Ried von beruhigender Stille. Es gibt sie noch, die Idylle: Storchennester auf Kirchtürmen wie in Saulgau, Glockengeläut am Abend in Bachhaupten, urige Wirtshäuser wie das „Kreuz" in Pfrungen, Städte wie Ravensburg, die nicht nur allerweltsgepflasterte Fußgängerzonen, sondern noch gewachsene Quartiere haben, Landschaft pur wie um den „Höchsten". Am Wegesrand, abseits der Fremdenverkehrsrouten, erschließt sich Oberschwaben weiterhin auf seine eigene, unverfälschte Weise.

Das Naturschutzgebiet Pfrunger Ried ist eines der größten Hochmoore Oberschwabens.

The Pfrunger Ried nature conservation area is one of Upper Swabia's largest areas of upland moor.

La réserve naturelle «Pfrunger Ried» constitue l'une des plus vastes tourbières de montagne de la Haute-Souabe.

Ausdruck bürgerlicher Behäbigkeit: Der Marktplatz von Biberach mit seinen stattlichen Giebelhäusern und dem Neuen Rathaus von 1503 (rechts), überragt von der um 1746 barockisierten Stadtpfarrkirche St. Martin.

The epitome of bourgeois comfort and prosperity: the market square in Biberach with its stately gabled houses and the Neues Rathaus (New Town Hall), built in 1503 (right), overtowered by the parish church of St Martin, which was converted in Baroque style in 1746.

Expression de l'aisance bourgeoise: la Place du Marché de Biberach avec ses maisons cossues à pignons ainsi que le Nouvel Hôtel de Ville construit en 1503 (à droite) et dominé par l'église paroissiale St. Martin qui fut remaniée dans le style baroque, vers 1746.

Morgenstimmung am
Märchensee: Der Illmensee
bei Wilhelmsdorf ist einer
von über hundert Seen und
Weihern Oberschwabens,
die zum Baden, Bootfahren
und Angeln einladen.

Morning mood on a fairy-
tale lake: Illmensee near
Wilhelmsdorf is one of more
than a hundred lakes and
ponds in Upper Swabia,
an enticing prospect for
swimming, boating and fish-
ing.

Impressions matinales en
bordure d'un lac féerique: le
lac d'Illmen, près de Wilhelmsdorf, est l'un des
quelque cent lacs et étangs
que compte la Haute-
Souabe. Ils invitent à la
baignade, à une promenade
en bateau ou à une partie
de pêche.

Antiker Götterhimmel im Gewölbe: Im 1723 bis 1728 errichteten Bad Wurzacher Neuen Schloß führt eine zweiläufige Treppe mit barockem Schwung und reichem Stuckdekor über drei balustradengeschmückte Stockwerke hinauf zum Deckengemälde mit Motiven der Herkulessage.

Gods of antiquity in their heavenly home: the Neues Schloss (New Palace) in Bad Wurzach, built in 1723–28, where a sweeping Baroque double staircase with rich stucco ornamentation and ornate balustrades leads up to a vaulted ceiling painted with frescos depicting motifs from the Hercules saga.

Voûte céleste au décor antique: au Nouveau Château de Bad Wurzach, érigé en 1723–28, deux volées de marches baroques, abondamment décorées de stucs et ornées de balustrades sur trois étages, mènent aux fresques de la voûte représentant des motifs de la légende d'Hercule.

Moderne Kunst im alten Deutschordensschloß: In Altshausen bei Saulgau hat Herzogin Diane von Württemberg in der weitläufigen, um 1729 von Giovanni Gaspare und Franz Anton Bagnato barock gestalteten Anlage einen Skulpturenpark eingerichtet.

Modern art in an ancient castle of the Teutonic Order: the sculpture park established by Duchess Diane of Württemberg in the extensive castle grounds of Altshausen near Saulgau, laid out in Baroque style by Giovanni Gaspare and Franz Anton Bagnato in around 1729.

Art moderne dans l'ancien château de l'Ordre Teutonique: à Altshausen, près de Saulgau, la duchesse de Wurtemberg fit aménager un parc de sculptures dans le vaste ensemble de style baroque, réalisé ver 1729 par Giovanni Gaspare et Franz Anton Bagnato.

Gewöhnlich wird der südliche Teil Oberschwabens vom Bodensee aus erobert. Die Besucher folgen dabei vielleicht unbewußt den Spuren gelehrter Mönche, die einst in Sankt Gallen und auf der Bodenseeinsel Reichenau europäische Kulturzentren gründeten und von hier aus weit und bedeutend ins Land wirkten. Vielleicht ist aber auch das spürbar milde Bodenseeklima der heimliche Magnet. Immerhin funktioniert der See wie ein gigantischer Wärme- und Frischluftspeicher: sonnige Herbste und milde Winter, föhnklare Frühlinge und sommerfrische Sommer verdanken wir diesem Zungenbeckensee, den eiszeitliche Gletscher, einst von den Alpen heruntergekommen, als weitgestrecktes Tal ausschürften. Den südlichen Teil Oberschwabens vom Bodensee aus zu besuchen, das ist keine besondere touristische Kunst. Wer diese Region jedoch wirklich und mit allen Sinnen und bei offenen Augen überreich belohnt entdecken möchte, sollte unbedingt von der oberen Donau her kommen, am besten im Anschluß an den Besuch des nördlichen Oberschwabens. Dessen letzte Reise-Station, Pfullendorf, ist nicht der schlechteste Ausgangspunkt, denn hier kann man im Hotel zum „Alten Knast", einem renovierten Jugendstil-Gebäude, hinter Gittern übernachten – mit anschließend garantiertem Freigang.

So eingestimmt, könnte man dann einem merkwürdigen Phänomen nachspüren, in dem sich oberschwäbische Aberglaubens-Relikte am schönsten spiegeln. Im „Schwarzen Führer, Schwaben-Bodensee", der zu geheimnisvollen, sagenumwobenen Plätzen und Orten führt, sieht man auf einer Übersichtskarte wie auf einer Perlenkette ziemlich gerade untereinander aufgereiht die Orte Pfullendorf, Großschönach, Hohenbodman, Lippertsreute, Baufnang, Bambergen, Überlingen.

Wer zu Übersinnlichem neigt, wird in dieser auffallenden Anordnung auf kleinstem Raum einen geheimnisvollen Zusammenhang aller Dinge und Erscheinungen erkennen: herumirrende Geister, unterirdische Gänge (von Großschönach zum Kloster Hermannsberg, von Hohenbodman zum Schloß Salem), fliegende Gnadenbilder, hingerichtete Bauern, unstandesgemäße Liebschaften, verborgene Schätze, Erlösung durch Wallfahrt. Nur in dem Dreieck Wangen – Bad Wurzach – Ravensburg spukt's und geistert's noch ähnlich schön und kompakt. Wer gleich die Probe aufs Exempel machen möchte: Beim Heidenlocher Weiher, nahe Bambergen im Wald, soll früher in einer Höhle ein Wilddieb gehaust haben, der nach seinem gewaltsamen Tod, nackt aus dem Wasser auftauchend und jagend, umgehen mußte. „Seit die neue Straße am Weiher vorbeiführt", notiert der „Schwarze Führer" lakonisch, „hat man von dieser Erscheinung nichts mehr gesehen oder gehört". Das erinnert ein wenig an Martin Walsers spöttische Bemerkungen zur Heimatkunde („Heimat, das ist sicher der schönste Name für Zurückgebliebenheit" – „Unser Mittelalter hat jetzt elektrisch Licht …"), die er 1967 jenen schneidigen Intellektuellen aus „Berlinhamburgdüsseldorf" entgegenhielt, die in geheuchelter Medien-Sorge die Rückständigkeit Oberschwabens beklagten.

Heute wird diese oberschwäbische „Rückständigkeit" nicht mehr verachtet, so Elmar L. Kuhn, der Archivar des Kreises Friedrichshafen, sondern sehnsüchtig als Kontrasterlebnis zum immer schneller sich verändernden Alltag aufgesucht – ungeachtet einer nach wie vor höchst aktuellen Maxime des lange Zeit am Bodensee wohnenden Hermann Hesse: „Fortschritt heißt, wieder auf die Höhe von gestern zu kommen". Man lasse sich also nicht von der schönen Oberfläche und den nur sehr behäbigen Tourismus- und Marketinganstrengungen dieser Region täuschen: Oberschwaben hat viel unsichtbare Vulkanenergie, die allmählich durchbricht – in beharrlich umgesetzten Verkehrs- und Planungskonzepten des Regionalverbands Bodensee-Oberschwaben, in neuer wirtschaftlicher und kultureller Attraktivität der ehemaligen Reichsstädte wie etwa Ravensburg, in Geschichts- und Bewußtseinsarbeit der neugegründeten „Gesellschaft Oberschwaben", in gelebten „grü-

Überlingens hohes Rathaus mit Pfennigturm (rechts), vollendet 1492, repräsentiert die gut erhaltene Kernstadt mit Stadttoren, Fachwerk- und Bürgerhäusern.

Überlingen's tall town hall building with the "Penny Tower" (right), completed in 1492, is representative of the well-preserved old town centre with its town gates, half-timbered and bourgeois houses.

L'hôtel de ville d'Überlingen (à droite), de hautes dimensions, avec la Pfennigturm, achevée en 1492, est particulièrement représentatif du noyau urbain bien conservé. On y trouvera les anciennes portes de la ville, des demeures bourgeoises et des maisons à colombages.

nen" Selbstverständlichkeiten. Und von dieser Widerständigkeit, wie sie etwa 1977 das Schussenrieder Jugend-Blättle „Der Motzer" mit angestoßen hat, ist vieles in Oberschwaben anhaltend aktueller geblieben als jene Platzhirsch-Haltung des ehemaligen Biberacher Landrats, der in den achtziger Jahren die vielen Provinz-Aufstände und neuen Wohngemeinschaften der Polizei zur gefälligen Beachtung empfahl mit der unvergeßlichen, geradezu klassischen Aufforderung eines verängstigt-neugierigen Kleinbürgers: „In den Kommunen trifft sich das ganze Gesindel! Fanget die Kerle und gucket, was sie treiben!"

Wer den Süden Oberschwabens also nicht vom Bodensee aus entdeckt, sondern auf einer West-Ost-Durchquerung von der Donau (Sigmaringen, Tuttlingen) über Meßkirch, Pfullendorf, Überlingen, Markdorf, Tettnang bis nach Wangen etwa, erfährt alle Formen und Aspekte der oberschwäbischen Kulturlandschaft in komprimierter Form: Wald, Ackerland, Sonderkulturen (Weinbau in Seenähe bei Hagnau und Meersburg), Obstanbau, Frühgemüseanbau auf der – mit kurzem Abstecher erreichbaren – Insel Reichenau, Hopfen und Spargel um Tettnang, Grünland mit Futteranbau und Viehhaltung im Übergang zum Allgäu auf den trittfesten Abhängen etwa der Drumlin-Buckel im Südosten entlang der Argen, Vereinödung

dann im Übergang zum Westallgäuer Hügelland mit den charakteristischen Streusiedlungen, Einzelhöfen und kleinen Weilern. Und das alles zeigt sich bei Föhnwetter besonders schön, wenn im Frühjahr und Herbst trockene Fallwinde aus Süden über die Alpen kommen und man meint, man könne vom Heiligenberg oder vom Höchsten, vom Gehrenberg oder vor allem von der Waldburg die so nah erscheinenden Alpenberge schier mit Händen greifen.

Bei einer solchen West-Ost-Passage durch den Süden Oberschwabens mit entsprechenden Abstechern erschließen sich zudem noch die durch frühe Handelswege geprägte Industrialisierung (im Schussental und am Seeufer) und die verschiedenen Orte und Städte nach ihrer Geschichte und Funktion: Alte Reichsstädte wie Ravensburg, Überlingen oder Wangen erkennt man schon von weitem an den vielen Türmen und in der Stadt selbst an den prachtvollen Rat- und Bürgerhäusern; in kleinen Residenzstädten wie Tettnang und Meersburg bildet ein Schloß das Zentrum; Marktorte wie Radolfzell, Stockach oder Markdorf präsentieren sich architektonisch eher bescheiden, hier sind die vielfachen Austausch- und Pendlerströme vom und ins Umland kennzeichnend; Klosterorte wie Weingarten haben neben der eindrucksvollen Anlage noch zahlreiche Verflechtungen ins Umland hinein zu Dörfern und Bauernhöfen, die zins- und zulieferungspflichtig waren und an deren Zugehörigkeitsbewußtsein sich kaum etwas geändert hat; und industrielle Städte wie

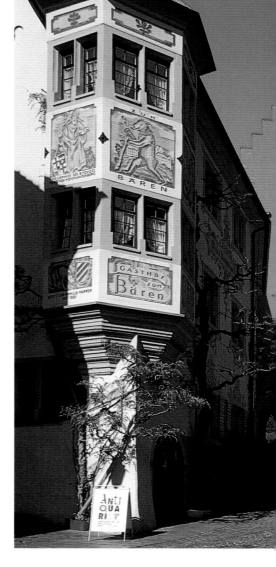

Friedrichshafen haben ihre besondere historische Funktion, zum Beispiel als Sommerresidenz der württembergischen Könige, auch im Stadtbild schon lange hinter sich gelassen und kündigen sich beim Näherkommen durch zunehmend verdichtete Verkehrsströme und ebenso verdichte Wohnsiedlungen an. Ebenfalls deutlich wird immer noch, welche Einflußfaktoren die oberschwäbische Regionalkultur geprägt haben und immer noch prägen: Kirche, Adel, Bauern, Reichsstädte.

Mit diesem Hintergrundwissen über das südliche Oberschwaben als „Wahrnehmungsfolie" kann man sich dann in einzelne, eindrucksvolle Details dieser Region vertiefen. Kommt man von Pfullendorf, dann bieten sich zunächst das Pfrunger Ried und Wilhelmsdorf geradezu an. Der württembergische König schenkte der pietistischen Brüdergemeinde Korntal (bei Stuttgart) ein unfruchtbares Stück Land am Rande des Pfrunger Rieds – eine altwürttembergische Kolonialgeste nach

der Napoleonischen „Flurbereinigung", um im neuerworbenen Oberland den behäbigen Neubürgern etwas industriöse Mentalität einzupflanzen. Die christlichen Brüder machten sich unverzüglich ans fromme Werk, legten das Moor trocken, bauten Torf ab (vor allem in der zweiten Hälfte des 19. Jahrhunderts für die Dampfeisenbahnen) und schufen schließlich weithin bekannte und gerühmte Einrichtungen wie die Kinderrettungsanstalt und das Töchter- und Knabeninstitut; heute bieten die Zieglerschen Anstalten ein weitgefächertes therapeutisches Angebot für das ganze schwäbische Oberland. Und das 1823/24 gegründete Städtchen nannten sie zu Ehren des Stifters Wilhelmsdorf. Der Stadtplan spiegelt die Mentalität der pietistischen Gemeinde noch immer eindrucksvoll wider: Im Mittelpunkt steht auf dem Saalplatz der Beetsaal, auf den alle Straßen kreuzförmig zulaufen. Am nördlichen Ortsrand von Wilhelmsdorf sollte man sich auf dem Riedlehrpfad vor einem Besuch über die schöne, inzwischen naturgeschützte Ursprünglichkeit des Pfrunger Rieds und über die einzelnen Phasen der Moorbildung informieren: Dieses Feuchtgebiet mit seltenen Vögeln und Pflanzen ist neun Kilometer lang und drei Kilometer breit, liegt auf Jungmoränengrund und entstand durch die Verlandung eines ehemaligen Eisstausees, im Norden und Süden einst abgeriegelt durch die äußere und innere Würmendmoräne, an den Seiten durch Molasseriegel. Im Norden schließt sich an das Pfrunger Ried das

hin zum frühen Klassizismus; Weinbau-
museum und Feuerwehrmuseum ergänzen
dieses Potpourri im markgräflichen Besitz. In Meersburg steht, so behaupten
zumindest die bei Feieranlässen allerdings
nicht immer geschichtsfesten Meersbur-
ger, mit dem Alten Schloß die älteste Burg
Deutschlands aus dem Jahre 628. Das
Neue Schloß wurde Mitte des 18. Jahrhunderts von Balthasar Neumann entwor-
fen, im Treppenhaus stammen die schönen
Deckenmalerein von Joseph Appiani, die
Stuckarbeiten in der Schloßkapelle lieferte
Joseph Anton Feuchtmayer. Um den
Schloßplatz herum kann man, wenn die
schöne Aussicht vielleicht nicht mehr
so fesselt, jede Menge interessanter Museen besuchen (Zeppelin-, Deutsches Zei-
tungs-, Weinbau- und Stadtmuseum), Annette von Droste-Hülshoffs in ihrem Fürstenhäusle gedenken und auf dem (Wein-
kunde-)Weg nach Hagnau die zu Recht
gerühmten Bodenseeweine genießen. Und
wer sich die Entwicklung vom ländlichen
Barock zum heiter-beschwingten Rokoko
nicht entgehen lassen möchte, sollte auf
dem Weg nach Überlingen das Meisterwerk der Vorarlberger Bauschule, die
1746 bis 1750 von Peter Thumb erbaute
Wallfahrtskirche Birnau, besuchen: Sie ist

Der „Honigschlecker" in
der Wallfahrtskirche von
Birnau spielt auf die „honig-
fließende Zunge", d. h. die
Redekunst des heiligen
Bernhard von Clairvaux, an.

The "honey eater" in the
Birnau pilgrimage church is
a reference to the honey-
tongued eloquence of St
Bernard of Clairvaux.

Le «Honigschlecker» (l'ange
à la ruche), de l'église de pélerinage de Birnau, fait
allusion à la «langue d'une
douceur de miel», autre-
ment dit à l'art rhétorique
de saint Bernard de
Clairvaux.

Pfullendorf-Ostracher Erdölfeld an (erkennbar an den Pferdekopfpumpen), wo
aus dem Molasseuntergrund fossile Ener-
gieträger (Öl, Gas) gefördert werden. Im
Kontrast dazu kann man im Süden des
Rieds auf dem Höchsten die Nutzung
regenerativer Energien per Windgenerator
von Dornier, den Flugzeugkonstrukteu-
ren, verfolgen – einmal mehr ein Beispiel,
wie in Oberschwaben Natur und Kultur,
Altes und Neues, Herkömmliches und
Zukunftsweisendes dicht beieinanderlie-
gen.

Der weitere Verlauf der Reise nach Süden
über den Heiligenberg, über Salem und
Meersburg ist wie eine Sightseeing-Tour
für eilige Amerikaner oder Japaner: lauter
fotogene Superlative in einem stilge-
schichtlichen Schnelldurchlauf. Bezeich-
nenderweise markiert ein Ausläufer des
Linzgaus, ein Bergsporn mit dem Namen
Heiligenberg, die westliche Grenzlinie
Oberschwabens. Die Fürsten zu Fürstenberg bauten auf einer alten Burganlage ab
1546 das heutige Schloß, dessen Rittersaal
mit einer aus verschiedenen Edelhölzern
zusammengesetzten, dekorativ geschnitz-
ten Kassettendecke eines der schönsten
Renaissance-Zeugnisse in Deutschland
ist. Und in Salem, bekannt durch die
renommierte Schloßschule und das –
allerdings in anderen Kreisen – nicht
weniger geschätzte Freigehege mit 200
Berberaffen, findet man das bedeutendste
Zisterzienserkloster Süddeutschlands, eine Stilparade von Barock über Rokoko bis

Der historische Stadtkern
von Markdorf, Mittelpunkt
des Linzgaus zwischen
Überlingen, Pfullendorf und
der Schussen.

The historic town centre of
Markdorf, centrepoint of
the Linzgau region, situated
between Überlingen, Pful-
lendorf and the Schussen.

Le noyau urbain historique
de Markdorf, au cœur de la
région appelée Linzgau,
entre Überlingen, Pfullendorf et la Schussen.

ein Festkonzert aller schönen Künste, die geraden Wände scheinen aufgelöst, alles ist in licht- und farbentanzender Bewegung. Jenseits der Bundesstraße, gleichnishaft „mitten im Leben", liegt der Friedhof für die Opfer des Überlinger Außenlagers des Konzentrationslagers Dachau.

„Zurück" zum eigentlichen Oberschwaben – am besten nach Markdorf und zum Gehrenberg. Hier findet man jene Ruhe und Beschaulichkeit, die einem an den überlaufenen Seepromenaden bisweilen trotz aller landschaftlichen und architektonischen Schönheiten doch etwas abgeht. Markdorf gehörte in seiner langen Geschichte auch den Bischöfen von Konstanz, die hier zeitweise residierten. In der

unmittelbaren Nachkriegszeit dachten einige engagierte und gelehrte Männer, unter ihnen als Vertreter Südwürttemberg-Hohenzollerns Carlo Schmidt, über das künftige Schicksal Oberschwabens nach, das von Baden, Württemberg und Bayern im Laufe der Geschichte annektiert wurde; Ralf Dahrendorf schlug später dazu sogar eine eigene oberschwäbische Akademie vor. Und in Markdorf sollte auf Vorschlag des Biberachers Hugo Häring eine Universität für das hochschulabstinente Oberschwaben entstehen – man hat beim Anblick des kleinen Landstädtchens Mühe, das nachzuvollziehen. Vielleicht hat diese Geistestradition – Bischofssitz und virtueller Hochschulort – dem Landkreis Friedrichshafen eingegeben, seinen Kreisarchivar in die kreative Abgeschiedenheit von Markdorf zu setzen (aber wahrscheinlich standen, weitaus prosaischer, nur gerade mal wieder einige Schulräume leer), von wo aus dieser mit interessanten Ausstellungen und kenntnisreichen Schriften viel zur oberschwäbischen Bewußtseinsbildung beiträgt. Und das kommt auch den Besuchern dieses „Paradieses vor dem Ausverkauf" (Maria Beig) zugute. In Markdorf selbst kann man eine frühe Stadtsanierung, von der Kommunalentwicklung Stuttgart (!) geplant, studieren, alte Wehrbauten bestaunen und am Südportal der ehemaligen Stiftskirche „Maria auf der Mondsichel" (von Jörg Zürn) reiten sehen und in der Kapelle daneben vor und mit einer schönen Schutzmantelmadonna meditieren.

Wer aber Erholung in der Natur beim Wandern, Radfahren oder Picknick mit der Familie oder Freunden sucht, der findet am Gehrenberg ein geradezu ideales Gebiet: Der Aussichtsturm bietet eine grandiose Fernsicht über die ganze Bodenseeregion, die Gemeinden Markdorf, Bermatingen, Oberteuringen und Deggenhausertal haben eine für den Besucher leicht erschließbare Ferienlandschaft und ein Ferienzentrum Gehrenberg entstehen lassen. Und im „Wirtshaus am Gehrenberg" schließlich findet man regionale Küche mit Fleisch von selbstgezüchteten und freilaufenden Rindern und Schweinen, einen Biergarten und an Wochenenden ein Kleinkunstangebot mit verblüffend hoher Qualität.

Will man dann doch weiter und nicht wieder zurück zum See, bietet sich zum schönen Schluß die Route Tettnang – Wangen – Ravensburg – Weingarten an, auch um die landschaftliche, wellige Bewegung des oberschwäbischen Südens dabei noch mehr in sich aufzunehmen. Auf dem Weg dorthin kommt man durch die charakteristischen Obstanbaugebiete mit den heute so pflegeleichten, kleinwüchsigen Apfel-, Birnen- oder Kirschbäumen. Bei Tettnang, vor allem in dem Dreieck Missenhardt – Brünnensweiler – Obereisenbach, liegt das zweitgrößte deutsche Hopfenanbaugebiet. Im ausgezeichneten Hopfenmuseum von Tettnang erfährt man, wie hier veränderte Trinkgewohnheiten (Umsteigen vom sauren Wein auf das süffige Bier), entsprechende Absatzprobleme der früheren Winzer und königliche Wirtschaftsförderung im 19. Jahrhundert (in der bayerischen Hallertau wurde Hopfen schon im Mittelalter angebaut) diese Sonderkulturen schufen.

In Wangen und Isny mischen sich Oberschwaben und Allgäu. Die Grenzen verlaufen wie die Spuren von Liebenden, die sich trennen müssen und immer wieder umkehren, um erneut Abschied zu nehmen. Das Haus Waldburg markiert hier mit schwarz-gelben Klappläden an Herr-

Das „St. Peter nördlich der Alpen", Kloster und Basilika Weingarten, erschließt sich am besten bei einem Blick auf den Idealplan von 1723, der in dieser gigantischen Großartigkeit allerdings nicht realisiert wurde. Macht und Reichtum des Klosters haben hier dennoch ein wunderschönes, weltbekanntes Kulturdenkmal geschaffen. Bei einem Gang am Stillen Bach entlang vom Kloster bis zum Rößler Weiher im Westen kann man sozusagen im Rückspiegel die kulturelle Bedeutung der ehemaligen Benediktinerabtei an einem ebenfalls einmaligen Zeugnis mittelalterlicher Wasserbautechnik studieren: Sieben Getreidemühlen, fünf Sägemühlen, drei Ölmühlen, eine Lohmühle, eine Schmiede und eine Hanfreibmühle betrieb das klösterliche Kanalsystem, eine bestaunenswerte technische Leistung! Manchmal ist ein Blick auf die Rückseite viel aktueller und aufschlußreicher als der auf die berühmte Schauseite – nicht nur in Oberschwaben.

schaftsgebäuden, Mühlen und Gehöften solche Spuren und damit seinen im Laufe der Geschichte gewaltig gewachsenen Besitz so betont dezent, daß der aus Isny stammende Günter Herburger einmal den „Singsang alter Feudalherrschaft" anstimmte, wo auf alle Fragen („wem gehört der Wald? die Berge? die Felder? die Seen?" usw.) immer nur ein echohaftes „dem Fürsten" folgte. Die ehemalige freie Reichsstadt Wangen hat die schönen Straßenbilder (etwa die stolze Herrengasse) und Gebäude behutsam saniert und restauriert, mit viel Sinn für historische Details –

Ein Hauch von mediterraner Heiterkeit: Wangens Marktplatz mit der Martinskirche und der herrlichen Barockfassade des Rathauses.

A touch of Mediterranean lightheartedness: Wangen's market square with St Martin's church and the splendid Baroque town hall facade.

Un soupçon de sérénité méditerranéenne: la Place du Marché de Wangen avec l'église St. Martin et la splendide façade baroque de l'hôtel de ville.

kein Wunder, daß Wangen zu den schönsten und lebendigsten Städten im Oberland zählt. Wie auch in Ravensburg sind Stadtrundgänge (hier mit Informationstafeln zur Stadtsanierung) wie Blättern und Lesen in begehbaren Bilderbüchern.
Die Waldburg, die höchste (770 m) Moränenkuppe des Voralpenlandes, sollte man besuchen, nicht nur wegen des Ausblicks oder des wiedereröffneten Museums. Hier ist der erste Stammsitz des heute noch reichen und mächtigen Fürstenhauses, zu dessen materiellem Wohl Georg von Waldburg („Bauernjörg") durch Niederschlagen – so die feinsinnigen Historiker – der Bauernaufstände grundlegend beigetragen hat.
Ravensburg hat ebenso wie Wangen das schwierige Kunststück gemeistert, die Erhaltung der historisch wertvollen Bausubstanz und die Anforderungen an eine moderne Stadt behutsam auszubalancieren. Dazu bietet sich ein Blick vom 51 Meter hohen „Mehlsack" an, einem Turm der Stadtbefestigung aus dem 15. Jahrhundert, den von Habsburg eingesetzten Landvögten in Altdorf (heute: Weingarten) stolz und in Sichtweite vor die Nase gesetzt. Ravensburg ist – sehr zum Ärger mancher „Seehasen" aus Friedrichshafen – die geschäftige, viele und vieles anziehende Hauptstadt des südlichen Oberschwaben, ein Industrie- und Oberzentrum, Schul- und Verwaltungsstadt und nicht zuletzt kultureller Mittelpunkt mit einer innerstädtisch schier mediterrangelassenen Atmosphäre.

Der Blaserturm und das Lederhaus in Ravensburg, der „heimlichen Hauptstadt Oberschwabens".

The Blaserturm and Lederhaus in Ravensburg, the "secret capital of Upper Swabia."

Le «Blaserturm» et la «Lederhaus» (Maison des Tanneurs) de Ravensburg, «capitale secrète» de Haute-Souabe.

Oberschwäbische Kultur-
landschaft: Im fast mediter-
ranen Süden Oberschwabens
entlang dem Bodensee ge-
deiht das erntefreundlich ge-
züchtete Obst in großen
Plantagen massenhaft oder
inmitten blühender Streu-
obstwiesen wie hier im Deg-
genhauser Tal bei Heiligenberg.

The cultivated landscape of
Upper Swabia: the south of
the region along the shores
of Lake Constance enjoys an
almost Mediterranean
climate, in which fruit trees
flourish both in large com-
mercial plantations or in
more intimate orchards in
full flower like the one here
in the Deggenhaus valley
near Heiligenberg.

La Haute-Souabe, pays de
culture: le long du lac de
Constance, dans la partie
méridionale de la Haute-
Souabe qui a un caractère
presque méditerranéen, mu-
rissent les fruits cultivés
dans de vastes plantations
facilitant la récolte ou au milieu de prés en fleurs parse-
més d'arbres fruitiers,
comme on le voit ici, dans la
vallée de Deggenhausen,
près de Heiligenberg.

Die wohl älteste Burg Deutschlands: Im alten Schloß von Meersburg, vermutlich aus dem Jahre 628, befindet sich auch das Arbeits- und Sterbezimmer der Dichterin Annette von Droste-Hülshoff mit wunderbarer Aussicht auf den Bodensee und die dahinter liegenden Alpen.

Probably the oldest castle in Germany: the old Schloss in Meersburg, believed to date back to 628, houses the room where the writer Annette von Droste-Hülshoff worked and died. It has a wonderful view of Lake Constance and the Alps beyond.

Le château fort peut-être le plus ancien d'Allemagne: dans le vieux château de Meersburg, datant probablement de 628, on trouvera la chambre où travailla et mourut la poétesse Annette von Droste-Hülshoff. Une magnifique vue se dégage de cet endroit sur le lac de Constance et les Alpes, à l'horizon.

Ein Festkonzert aller schönen Künste: Von der Seeseite gesehen, erscheint die klar gegliederte Fassade der Wallfahrtskirche von Birnau, erbaut von 1746 bis 1750, von fast klassischer Strenge im Vergleich zum sinnenbetäubenden Rokokoinnenraum – beides ein Meisterwerk der Vorarlberger Bauschule und von Peter Thumb.

A harmonious feast of the fine arts: seen from the lake, the clear lines of the facade of Birnau pilgrimage church, built between 1746 and 1750, are of an almost classical severity in comparison with its stunning Rococo interior. Both are masterpieces of the Vorarlberg school of building and Peter Thumb.

Une symphonie des beaux-arts réunis: vue du lac, la façade rigoureusement structurée de l'église de pélerinage de Birnau, construite de 1746 à 1750, paraît d'une austérité presque classique, en comparaison de son intérieur de style rococo à l'exubérance envoûtante – chefs-d'œuvre tous les deux de l'école d'architecture de Voralberg et de Peter Thumb.

Einlaß in die schöne Innen-
stadt: Patrizierhäuser an
der Herrenstraße in Wangen
mit dem bilderreichen be-
malten Frauentor aus der
Renaissancezeit.

The way into the beautiful
town centre: patrician
houses in Wangen's Herren-
strasse and the richly decorated Renaissance Frauentor.

L'itinéraire dans le centre
magnifique de Wangen
conduit le long de maisons
de patriciens de la Herrenstraße vers la «Porte
des femmes», richement
décorée, datant de la
Renaissance.

Oberschwaben wird gern als Sinnbild des Barock verklärt: Ein „Himmelreich auf Erden", eine Landschaft mit schwellenden Drumlins und üppigen Wiesen, kleinen Weihern und dunklen Mooren, buntgetupften Wäldern und Feldern, überwölbt von einem Himmel, an dem sich Wolkenbänke und Sonnenuntergang zu einem grandiosen Fresko mischen. Die Menschen im Land der Donauwellen und Zwiebeltürme gelten als sinnlich und schwelgerisch, voller Lebensgefühl und den irdischen Genüssen zugetan. Eine Vorstellung, so schillernd wie der Stilbegriff Barock. Sie hat viel mit dem Inszenierungsgedanken des Barock zu tun – erst hinter der Dekoration zeigt sich die Wirklichkeit.

Die Barockkultur kam nach dem Dreißigjährigen Krieg verspätet nach Südwestdeutschland. Die verheerenden Konfessionsgegensätze wurden nun ideologisch und ikonographisch fortgeführt: hier katholisch-diesseitsbejahende Frömmigkeit, dort evangelisch-weltabgewandte Frömmelei, hier überschwengliche Repräsentation, dort bilderfeindliche Sparsamkeit. Plastisch kommen die Gegensätze auf einem Stammbuchblatt von 1766 in der Württembergischen Landesbibliothek Stuttgart zum Ausdruck, das einen ins Gebetbuch vertieften Tübinger Theologiestudenten zeigt, der von verführerischen Rokokoschnörkeln umgarnt wird. Nach dem Krieg kam wieder Optimismus auf, aus der Zerstörung erwuchs ein Bauprogramm, nach dem Schock der Reformation fand die Gegenreformation im Barock ihren sinnbildlichen Ausdruck. Vorbild war das benachbarte Ausland wie Frank-

reich und Österreich, in dem absolutistische Fürsten und Kleriker mit ihrer Prunk- und Geltungssucht Maßstäbe setzten und Mode machten. So kamen erste künstlerische „Gastarbeiter" ins Land, Franzosen, Italiener, vor allem aber Vertreter der Vorarlberger Schule. Barock wurde häufig als Gesamtkunstwerk aus Architektur und Parkanlage, Plastik und Malerei, Theater und Musik, Jagd und Fest konzipiert – ein „großes Welttheater", so der Germanist Richard Alewyn. Barock drückt das Lebensgefühl der herrschenden Klasse aus, die nach Sinnlichkeit und Genuß strebte, die Pracht und Herrlichkeit demonstrierte. Zugleich aber sollte das Volk in der himmlischen Ordnung auf Erden erzogen werden. So finden sich Heiligenverehrung und Reliquienkult als „gesunkenes Kulturgut" in der Volksfrömmigkeit wieder, Prozessionen und Wallfahrten erinnern in ihrer emotionalen Dramaturgie noch heute an barocke Inszenierungen.

Dem neuen Stil wurden alte Kirchen und Schlösser geopfert: die romanischen Münster in Weingarten, Zwiefalten oder Wiblingen wurden abgebrochen, um Barockbauten Platz zu machen, viele Kirchen „barockisiert". Alles sollte den irdischen Glanz der Bauherren verstärken: Donato Giuseppe Frisoni, einer der Architekten der Weingartener Basilika, wünschte dem Prälaten Sebastian Hiller, „daß Ihro Hochwürden und Gnaden Herrn Reichsprälaten einen ewigen Ruhm hiedurch zu machen". Zwar wurde nach sieben Jahren die Kirche vollendet, aber es lasteten 300 000 Gulden Schulden auf dem Kloster, der ursprüngliche Idealplan blieb Stückwerk, freilich ein großartiges. Auch der Umbau der Deutschordenskommende Altshausen nach Plänen von Giovanni Gaspare und Franz Anton Bagnato zum größten Barockkomplex Oberschwabens blieb ein Torso – aber schon er macht die Monumentalität des Denkens sichtbar. Selbstüberschätzung und Größenwahn führten viele Fürsten in den Ruin und zwangen ihre Untertanen in die Fron. So feierte Graf Anton III. in Tettnang glanzvolle Feste und verewigte sich in Bauwerken. Am Ende erreichten die Schulden der Montforts die astronomische Summe von einer Million Gulden, sie verarmten. Andere Verschwender versuchten, sich an ihren Untertanen schadlos zu halten. Klöster wie Schussenried und Wald erlegten den

Bauern erhöhte Sach- und Naturalleistungen auf, um ihre Bauten zu finanzieren. Ein Chronist notierte, daß „starkes Klagen wider die Herrschaft sowohl von den Untertanen als von den Auswärtigen entsteht, folgsam vieles übles Nachreden, Murren, Drohen und Beleidigungen Gottes". Auch zu verstärkter Fronarbeit wurden die Bauern verpflichtet: Sie mußten Hand- und Spanndienste leisten, Holz und Steine herbeikarren. In Kempten wurden Klagen laut, daß den Pferden „der Hals abgefahren" werde. Ebenso wurden gegen fürstliche Jagdleidenschaft, die Zerstörung von Feldern und Vernichtung des Wildbestands Beschwerden geführt.

Heute gilt der Barock als volkstümlicher Stil. Bisweilen ist er schwer und schwülstig, in der Ausformung des Rokoko auch leicht und lebhaft. „Hinreißend im ganzen und oft erschreckend im einzelnen ist der farbige Glanz, die zerrissene Beweglichkeit, das Springende, Hängende, Kecke, Freche und doch wieder – im malerischen Kontrast – unendlich sichere der Rokokodekoration ...", notierte Theodor Heuss nach einem Besuch in Zwiefalten. Der überbordende Barock steht im Kontrast zur strengen Gotik, nirgends läßt sich das besser nachvollziehen als in Ulm. Das Münster, Baubeginn 1377, dräute Eduard Mörike 1831 „wie ein schauerlicher Block vor Augen, dieser Koloß, der so tyrannisch alles um sich her verkleinert ..." Der mit 161 Metern höchste Kirchturm der Welt zeigt das Selbstbewußtsein der Bürger, die Schnitzarbeiten des Hans Multscher und der Syrlins künden von der Kunstfertigkeit der Ulmer Schule – und doch ist im nahen Oberschwaben das Maß der Bauwerke harmonischer, menschlicher. Im Ulmer Münster gibt es nach dem protestantischen Bildersturm keine Altäre mehr – es ist ganz der Schmucklosigkeit und Wortgläubigkeit geweiht. Ulm ist Ausgangspunkt einer Reise entlang der über 300 Kilometer langen „Oberschwäbi-

Oberschwäbische BAROCK STRASSE

Legende:
— Hauptstrecke
▪▪▪▪ Westroute
||||||| Südroute
●●●●● Ostroute
— Verb. Route

Stand Jan.'97

1780 nach französischem Vorbild erbauen ließ, seinen Charakter bewahrt: „Klein Paris" in Schwaben. Mit Ehingen erreichen wir eine der wichtigsten ehemals habsburgischen Donaustädte, Sitz der schwäbisch-österreichischen Landstände. Das Stadtbild ist geprägt von drei barocken Kirchen: Die Stadtpfarrkirche St. Blasius (erbaut 1754 bis 1758 von Giovanni Gaspare und Franz Anton Bagnato, Stukkaturen von Franz Pozzi, Deckengemälde von Joseph Appiani) war zunächst ebenso gotisch wie die Liebfrauenkirche (1638–1809, sieben großen Altäre, „Gnadenbild" einer steinernen, lebensgroßen Muttergottes aus dem 15. Jahrhundert). Ein für den süddeutschen Raum ungewöhnlicher, an die Salzburger Kollegienkirche erinnernder Zentralbau ist die Konviktskirche auf dem Grundriß eines griechischen Kreuzes (1712 bis 1719, perspektivisches Kuppelfresko „Verherrlichung des Herzens Jesu", Kollegiengebäude von Franz Beer). Barock- und Rokokoelemente schmücken gleichfalls das als Kanzlei und Sitzungsgebäude der Ritterschaft errichtete „Ritterhaus" (um 1700) und das „Landhaus" der Stände (1750/51, Giovanni Gaspare Bagnato).

Entlang der Donau, an der „Route Dauphinée", reiste 1770 die österreichische Kaisertochter Marie-Antoinette zur Vermählung mit dem französischen König Luwig XVI. Im Chorherrenstift Obermarchtal der Prämonstratenser, um 1500 zur Reichsabtei erhoben, bezog die königliche Hoheit Nachtquartier, ihr zum Pläsier wurde das Festspiel „Beste Gesinnungen schwäbischer Herzen" des Paters Sebastian Sailer aufgeführt. Der Mundartpoet verpackte darin deftige Sozialkritik, etwa an der Fronarbeit des Straßenbaus: „Weagmache ischt a baisa Sach, / koi Arbat ischt so schlimm / [...] Wenn's d'Herra hau weand, muaß as sei." Herzstück der über der Donau gelegenen, vierflügeligen Anlage mit Eckpavillons ist die zweitür-

---

Auf der Oberschwäbischen Barockstraße führen vier Routen von Ulm bis St. Gallen, von Meßkirch bis Memmingen zu Glaubenspalästen und Musenschlössern.

On the Upper Swabian Baroque Road four routes lead from Ulm to St Gallen, from Messkirch to Memmingen, to palaces of religion and castles of the arts.

Sur la Route baroque de Haute-Souabe, quatre routes mènent aux palais de la foi chrétienne et aux châteaux des muses, d'Ulm à St. Gallen et de Meßkirch à Memmingen.

schen Barockstraße", die auf einer Hauptstrecke und mit West-, Ost- und Südrouten die ganze Fülle der Glaubenspaläste und Musenschlösser erschließt, darunter auch zahlreiche nichtbarocke Kunstwerke. Sie führt mit einem Abstecher nach Blaubeuren an den Rand der Schwäbischen Alb, zum 1085 gegründeten Benediktinerkloster mit dem Hochaltar von Gregor Erhart, Jörg Syrlin d. J. und Bartholomäus Zeitblom, „das Vollkommenste, was die schwäbische Kunst in dieser Gattung hervorgebracht hat", so der Kunsthistoriker Georg Dehio.

Fährt man an der Donau entlang, so stimmt bereits Erbach mit seinem Schloß und der Pfarrkirche St. Martin auf Barock und Rokoko ein. Wenige Kilometer weiter hat Schloß Oberdischingen, das Graf Franz Ludwig Schenk von Castell um

mige, frühbarocke Kirche St. Peter und Paul. 1686 wurde der Bau von Michael Thumb begonnen, später setzten ihn Christian Thumb und Franz Beer im Vorarlberger Münsterschema fort: ein tonnengewölbtes Hauptschiff, das durch vorspringende Wandpfeiler gegliedert wird. In den Seitenschiffen entstehen so geschlossene

Einst standen 20 000 Bücher in der Klosterbibliothek von Bad Schussenried (oben). Baumeister unbekannt: das Neue Schloß im Herzen von Wurzach (unten).

There were once 20,000 books in Bad Schussenried's monastery library (above). Architect unknown: the Neues Schloss in the heart of Wurzach (below).

La bibliothèque de l'abbaye de Bad Schussenried comptait autrefois vingt-mille livres (ci-dessus). D'architecte inconnu: le Nouveau Château, au centre de Wurzach (ci-dessous).

Kapellen und offene Emporen. Das Querschiff ist schmal, der tiefe Chor wird gleichfalls von Kapellen und Emporen begleitet. Die Stuckdekoration der Decke stammt von Johann Schmuzer, das Chorgestühl von Paul Speisegger und Andreas Etschmann, als Altarmaler wirkten Johann Heiß, Matthäus Zehender und Melchior Binder. Sehenswert ist auch die Klosteranlage (Ostflügel 1747–53 von Giovanni Gaspare Bagnato, im Refektorium Stukkatur von Francesco Pozzi, Seccobilder von Joseph Appiani).

Wenige Kilometer entfernt steht eine weitere Wandpfeilerbasilika nach Vorarlberger Muster: die 1089 gegründete ehemalige Benediktinerabtei Zwiefalten mit ihrem 1765 geweihten, von Johann Michael Fischer errichteten Münster. Im Unterschied zum eher schlichten Obermarchtaler Frühbarock weist der Zwiefalter Spätbarock eine fast pompöse Formenfülle und soghafte Raumwirkung auf: Zwei 82 Meter hohe Zwiebeltürme über dem Chor, eine eindrucksvolle Westfassade mit Portal, mächtige Säulen, freitragende Kuppeln und Gewölbe, die dem Raum einen raffinierten Rhythmus geben. Johann Michael Feuchtmayers wild-bewegte Stukkaturen und Franz Joseph Spieglers farbig-lodernde Deckenfresken zur „Krönung Mariens" wuchern rokokohaft ineinander über, vermitteln dem Besucher die Illusion eines unbegrenzten Horizonts. In Bodennähe lohnen Joseph Christians Chorgestühl und Johann Georg Weckenmanns Bildhauereien eine nähere Betrachtung.

Weiter südlich an der Oberschwäbischen Barockstraße beherrscht sie steil aufragend und hell leuchtend die Landschaft: St. Peter und Paul in Steinhausen. Für den Kunsthistoriker Georg Dehio gebührt dem 1733 geweihten Bau von Dominikus Zimmermann „kraft der geistreichen Erfindung und der glänzenden Beherrschung der künstlerischen Darstellungsmittel einer der ersten Plätze in der süddeutschen Architektur des 18. Jahrhunderts". Was von außen als konventioneller Entwurf mit Lang- und überschneidendem Querhaus, schlankem Glockenturm und geschweiften Giebeln erscheint, entpuppt sich im Innern als Oval mit zehn durch Rundbogen verbundenen Pfeilern, die das Flachgewölbe tragen. Ein harmonisches Raumbild, das sich über weiß getünchten Außenwänden zum vollendeten Rokokodekor steigert: die filigrane Stukkatur, die vollendeten Bildhauereien von Johann Georg Prestel und Joachim Früholz. Vor allem aber die Deckengemälde von Johann Baptist Zimmermann, dem Bruder des Baumeisters und Stukkateurs. Die Fresken zeigen die Himmelfahrt Mariens, in den Randzonen die Huldigung der damals bekannten vier Erdteile. Die leuchtend-erdigen Farben vermitteln wahrhaft ein Himmelreich auf Erden und den Vorschein des Paradieses.

Die Kirche von Steinhausen wird die „schönste Dorfkirche der Welt" genannt, sie ist eigentlich die Marienwallfahrtskirche der Reichsabtei Bad Schussenried, eines 1183 gestifteten Prämonstratenserklosters. Das romanische Langhaus der ehemaligen Klosterkirche St. Magnus ist noch erhalten und wurde von Johannes Zick 1745 behutsam barockisiert. Von hoher Qualität sind das Chorgestühl Georg Anton Macheins, Holzplastiken von Michael Erhart und ein Relief mit der Darstellung des Marientodes, angefertigt von einem Biberacher Meister. Schmuckstück im Mittelpavillon des Klosters ist der Bibliothekssaal Jakob Emeles (1754–1761) mit den programmatisch auf die Häresie verweisenden Figuren Fidelis Sporers und

dem die Wissenschaften thematisierenden Deckenbild Franz Georg Hermanns. Ein „Sitz der Weisheit", wie es sich Abt Nikolaus Kloos wünschte: Einst standen in den rocaillebekrönten Schränken auf zwei Etagen 20 000 Werke, heute vermitteln aufgemalte Buchrücken davon nur noch eine Illusion – die Bände wurden während der Säkularisation verschleudert.

In Weingarten sollte einmal der „deutsche Escorial" entstehen. Der „Idealplan" wurde zwar nie verwirklicht, aber doch die größte Barockkirche nördlich der Alpen – nur Ottobeuren reicht an sie heran: Die

Ostfassade ist 174 Meter breit, die Basilika 117 Meter und das Schiff 106 Meter lang, die Kuppel 66 Meter und der Hauptaltar 24 Meter hoch. Von der mittelalterlichen Abteikirche sind nur Reste erhalten, an der Konzeption und Realisation des 1724 geweihten Barockbaus mit der gewaltigen Fassade wirkten Architekten wie Caspar Moosbrugger, Johann Jakob Herkommer, Franz Beer, Andreas Schreck, Christian und Michael Thumb, Enrico Zuccalli oder Donato Giuseppe Frisoni mit. Der herkömmliche Typus der Vorarlberger Wandpfeilerkirche ist von Elementen des Zentralbaus durchdrungen. Die Pfeiler sind von der Wand gelöst, das in drei Joche geteilte Hauptschiff hat flache Hängekuppeln und kräftige Gurtbögen, welche die Emporen tragen. Der lichte Raum strahlt etwas Leichtes aus, der feine Stuck von Franz Schmuzer, die farbenfrohen Deckenmalereien von Cosmas Damian Asam, die unter anderem die „Erhöhung des heiligen Blutes" und den „Triumph" des Ordensgründers Benedikt von Nursia zeigen, unterstreichen die fulminante Wirkung. Aus der Vielzahl der

Am Bau der Basilika von Weingarten mit ihrer Fassade (oben) und dem Innenraum (unten) wirkten die besten Architekten und Künstler ihrer Zeit mit.

The best architects and artists of the day helped build the Weingarten basilica with its facade (above) and its interior (below).

Les meilleurs architectes et artistes de leur temps œuvrèrent à l'édification de la basilique de Weingarten et de sa façade (ci-dessus) ainsi que de son intérieur (ci-dessous).

Kunstwerke sind noch Joseph Anton Feuchtmayers Chorgestühl, die Altargemälde von Carlo Carlone und Franz Joseph Spiegler, die Marmorarbeiten von Giovanni Antonio Corbellini und Joseph Gablers gewaltige Orgel in der Vorhalle hervorzuheben.

Vorbei an Ravensburg, das mit dem Schlößchen auf der Veitsburg (1751, Giovanni Gaspare Bagnato) auch Barock bietet, erreichen wir Weißenau. Das ehemalige Prämonstratenserstift ist ebenfalls vom Vorarlberger Schema geprägt, die dreischiffige Basilika wurde anstelle eines romanischen Gotteshauses errichtet (1717–1724, Franz Beer, Stuck von Joseph Schmuzer, Deckengemälde von Jakob Karl Stauder, Fresken von Josef Anton Hafner). Über Friedrichshafen mit der ehemaligen Benediktinerprioratskirche St. Andreas (1659–1701, Christian

Meinrad von Ow schuf die Fresken in der 1772 umgestalteten Pfarrkirche St. Martin in Meßkirch.

The frescoes in the parish church of St Martin in Messkirch, redesigned in 1772, were painted by Meinrad von Ow.

Meinrad von Ow peignit les fresques de l'église paroissiale St. Martin à Meßkirch, église remaniée en 1772.

Thumb) und dem ehemaligen umgebauten Kloster (1654–61 Michael Beer, 1697–1701 Christian Thumb), heute Schloß der Herzogs von Württemberg, kommt man nach Kressbronn, dem südlichsten Ort der Hauptroute der Barockstraße auf deutscher Seite.

Wer der Westroute folgt, fährt von Riedlingen über Neufra und Ertingen nach Saulgau. Am Stadtrand von Saulgau liegt das Dominikanerinnenkloster Sießen mit der Kirche St. Markus (1726 bis 1733, Dominikus Zimmerman, Stuckdekorationen und Deckenmalereien von Johann Baptist Zimmermann). Über Krauchenwies geht es nach Meßkirch mit der 1772 barockisierten Pfarrkirche St. Martin (1772, Renaissance-Altar des „Meisters von Meßkirch"). Von hier lohnt ein Abstecher nach Beuron im Donautal, 1075 als Augustiner-Chorherrenstift gegründet, 1862 mit Benediktinern besetzt. Die eindrucksvolle Anlage wurde von Franz Beer und Johann Georg Brix erbaut, die barocke Abteikirche von Matthäus Scharpf vorarlbergisch zugeschnitten. Bemerkenswert sind die Deckengemälde von Joseph Ignaz Wegscheider und der Hochaltar von Joseph Anton Feuchtmayer.

Von Meersburg führt die Südroute der Barockstraße nach Konstanz und über die Schweizer Städte Kreuzlingen, Münsterlingen, Arbon, St. Gallen ins Vorarlberg nach Hohenems, Bregenz und zurück nach Lindau in Deutschland. Tettnang bietet mit dem Neuen Schloß der Grafen Montfort einen Hauch von Belvedere am Bodensee (1712 Christian Gessinger, 1753 Jakob Emele, Stukkaturen von Joseph Anton Feuchtmayer, Johann Georg Dirr, Andreas Moosbrugger). Das große Deckengemälde von Andreas Brugger zeigt Mythen um Herakles und Allegorien auf den Fürsten, der inmitten seiner Untertanen, bei der Jagd und beim Kreuzzug zu sehen ist; das Vagantenkabinett, das Brugger secco ausgemalt hat, gibt einen naturalistischen Einblick in den Alltag des fahrenden Volkes.

Mit Wangen erreichen wir das Allgäu. Das geschlossene Stadtbild, die Tore und Kirchen weisen eine Stilvielfalt von Gotik bis Renaissance auf, das Rathaus mit der breitgiebeligen Barockfassade (1719–1721, nach Plänen von Franz Anton Kuen) sowie das ehemalige Ritterhaus (1784–1789, Franz Anton Bagnato) dokumentieren Wohlstand und Bürgerbewußtsein. Einen ähnlich harmonischen Eindruck vermittelt Isny mit seinen Patrizierhäusern und der barocken Stadtpfarrkirche St. Jakobus und Georg (um 1661, Giuliano Barbieri, Stukkaturen von Hans Georg Gigl, Deckengemälde von Hans Michael Holzhey).

Von Kißlegg aus führt die Ostroute der Barockstraße über Leutkirch hinein ins Bayerische nach Legau, Maria Steinbach, Altusried, Kempten, Memmingen, Buxheim, Tannheim und bei Rot an der Rot zurück nach Baden-Württemberg. Der bayerische Barock ist ein Kapitel für sich, hingewiesen sei nur auf das 764 gestiftete Benediktinerkloster Ottobeuren, das zwischen 1711 bis 1766 unter anderem von Dominikus Zimmermann und Johann Michael Fischer völlig umgebaut wurde. Ottobeuren war mit seiner Bibliothek, seinen Gelehrten und Musikern ein religiöses und geistig-kulturelles Zentrum für ganz Schwaben, unter seinen Äbten ragte Rupert Ness heraus. Die majestätische Basilika ist ein Langhaus, das durch die Vierung unterbrochen und über dem kreuzförmigen Grundriß zum Zentralbau wird. Jakob Zeillers Deckengemälde, Johann Michael Feuchtmayers Stuckierung, die

Bildhauer- und Schnitzarbeiten von Johann Joseph Christian und Martin Hermann vollenden den reichen Rokokoreigen.

Es wird seiner zahlreichen, kuppelgekrönten Türme wegen „Kreml" Oberschwabens genannt: das 1126 gegründete Prämonstratenserstift Rot an der Rot. Nach einem Brand entstanden die Gebäude der Reichsabtei, ein unbekannter Baumeister errichtete Klosterkirche St. Verena (1784 geweiht). Die Anlage wirkt trotz ihrer Größe kleinteilig, die Kirchenfassade einfach. Grund- und Aufriß halten sich zwar an den Typus mit Wandpfeilern und dazwischen gespannten Emporen, aber die Bogenlinien sind beschränkt. Auch die von Januarius Zick geschaffenen Fresken mit Jesu im Tempel und beim Abendmahl weisen in ihrer Historientheatralik schon auf den Klassizismus hin (Stukkaturen von Franz Xaver Feuchtmayer, Chorgestühl von Andreas Etschmann). Die nächste vergleichbare Anlage liegt zehn Kilometer entfernt: das 1093 gegründete Benediktinerkloster, spätere reichsfürstliche Abtei Ochsenhausen. Sie gruppiert sich unregelmäßig um die ursprünglich gotische Pfeilerbasilika, heute Stadtpfarrkirche St. Georg mit zwei Türmen und ohne Querschiff. 1725 bis 1732 wurde sie barockisiert (Fassade von Christian Wiedemann, Stuck von Gaspare Mola, Fresken von Johann Georg Bergmüller, Muttergottes von Jörg Syrlin, Passionsgemälde von Johann Heiß, Orgel von Joseph Gabler). Rundbögen und Gesims geben dem hellen Raum Schwung. Die Stiftsgebäude begrenzen den Innenhof mit der Mariensäule. Insbesondere der von Johann Michael Fischer errichtete Mittelpavillon (um 1740) des 110 Meter langen, 30 Fensterachsen zählenden, vierstöckigen Konventbaus mit seinen langen Gangfluchten wirkt nahezu schloßähnlich.

Nun liegt Biberach an der Riß an unserer Route. Die von beiden Konfessionen ge-

nutzte Stadtpfarrkirche St. Martin wurde von Johannes Zick im Innern umgestaltet (1746–48, Deckengemälde von Zick, Hauptaltar von Johann Eucharius Hermann, Kanzel von Hans Hochmann, Tafelbilder von Josef Esperlin). Über Laupheim kommen wir an den Endpunkt der Route, die ehemalige Benediktinerabtei Wiblingen, gegründet 1093: der letzte barocke Klosterbau Oberschwabens (1714 begonnen). An seiner Errichtung waren Christian Wiedemann und Johann Michael Fischer beteiligt. Fischer schuf 1750 anstelle der romanischen Säulenbasilika die heutige Pfarrkirche St. Martin. Der Bau zeigt, so Georg Dehio, „den Kampf zweier Zeitalter": Ein turmloser Längsbau, der Bewegtheit und Einheit des Raums, barocke Dekoration mit klassizistischer Klarheit zu verbinden sucht. Der Frontispiz im Westen mit den schräggestellten Türstümpfen, der Pilasterfassade und dem weiten Platz wirkt wie eine Festung, an der östlichen Kehrseite geht die Kirche in einen Risalit mit barockem Mittelpavillon über.

Der baufreudige Abt Roman Fehr berief Januarius Zick 1778 zum „Bau- und Verziehrungsdirektor". Er leistete neben der Gesamtausstattung (Chorgestühl von Johann Joseph und Franz Joseph Christian, Kreuzaltar mit Holzkruzifix vermutlich von Michael Erhart) mit seinen Deckenfresken vollendete Arbeit: rokoko-leicht, farbig-stimmig, ein Hauch von Tiepolo. Zuvor hatte Abt Meinrad Hamberger im Nordflügel des Konventbaus die präch-

tigste Barockbibliothek Süddeutschlands errichten lassen. Hier wird in Dominikus Hermengild Herbergers Figurengruppe und in Franz Martin Kuens 1744 geschaffenem Deckenfresko noch einmal der geistliche Bildungsauftrag deutlich, Allegorien der irdischen und himmlischen Weisheit, der geistigen Welt von Antike und Neuzeit: Papst Gregor I. schickt Augustinus nach Britannien, um die Angelsachsen zu christianisieren. Im Auftrag Ferdinands von Kastilien vermessen zwei Mönche die Neue Welt. Barockes Missionsprogramm, Aufbruch zu neuen zeitgeschichtlichen Ufern.

Die „Simultankirche" St. Martin in Biberach, 1746 bis 1748 von Johannes Zick spätbarock umgestaltet, birgt zahlreiche Kleinodien der Malerei und Bildhauerkunst.

The church of St Martin in Biberach, redesigned in late Baroque style by Johannes Zick in 1746–1748, houses numerous jewels of painting and sculpture.

La «Simultankirche» St. Martin, à Biberach, remaniée en 1746–48 par Johannes Zick dans le style du baroque tardif, abrite de nombreux joyaux du domaine de la peinture et de la sculpture.

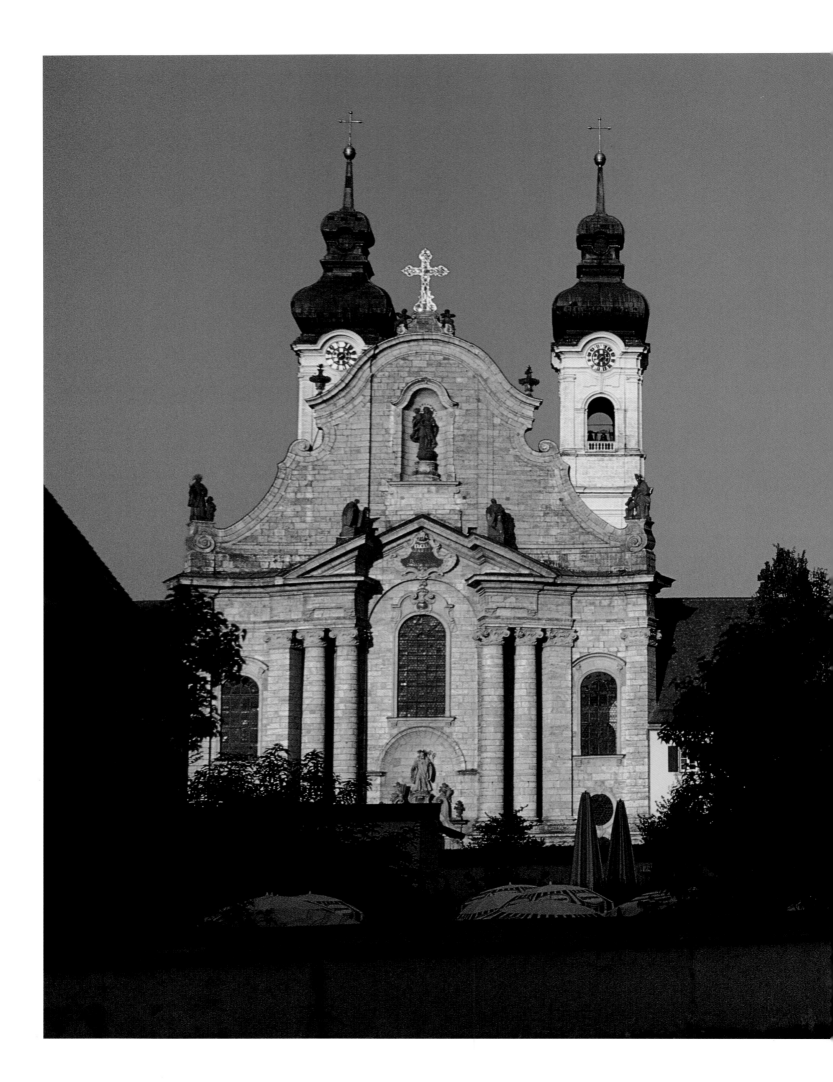

Himmelwärts mit Ballon und Barock: 1089 wurde die Benediktinerabtei Zwiefalten am Fuß der Schwäbischen Alb und mit Blick auf Oberschwaben gegründet, von 1739 bis 1765 schuf Johann Michael Fischer mit dem Münster einen der bedeutendsten Bauten des süddeutschen Spätbarock.

Heavenwards with balloon and Baroque: the Zwiefalten Benedictine abbey at the foot of the Schwäbische Alb mountains looking towards Upper Swabia was founded in 1089. The minster, designed and built by Johann Michael Fischer between 1739 and 1765, is one of the outstanding buildings of south German late Baroque.

Ascension en ballon dans un cadre baroque: c'est en 1089 que l'abbaye bénédictine de Zwiefalten fut fondée au pied du Jura souabe. En érigeant l'église conventuelle de 1739 à 1765, Johann Michael Fischer créa l'un des édifices les plus importants du baroque tardif en Allemagne du Sud.

Kunstvolles Gestühl für frommes Sitzgefühl: In der ehemaligen Kloster- und heutigen Pfarrkirche St. Magnus in Bad Schussenried ist besonders das Chorgestühl aus Nußbaum des Überlinger Bildschnitzers Georg Anton Machein sehenswert, das er von 1715 bis 1719 mit Reliefs und Statuetten aus dem Tier- und Menschenleben verzierte.

Art to encourage pious feelings: the parish church of St Magnus in Bad Schussenried was formerly part of a monastery. One particularly interesting feature is this nutwood choirstall carved between 1715 and 1719 by Georg Anton Machein from Überlingen, and decorated with reliefs and statuettes depicting both people and animals.

Stalles artistiquement sculptées pour les pieuses sensations: dans l'ancienne église conventuelle St. Magnus, aujourd'hui église paroissiale de Bad Schussenried, les stalles en noyer, une œuvre du sculpteur d'Überlingen, Georg Anton Machein, sont particulièrement remarquables. De 1715 à 1719, il les orna de reliefs et de statuettes illustrant la vie des animaux et des hommes.

Vorschein des Paradieses: Dominikus Zimmermann erbaute zwischen 1727 und 1733 in Steinhausen bei Bad Schussenried die Wallfahrtskirche St. Peter und Paul, sein Bruder Johann Baptist Zimmermann bemalte das Gewölbe, das sich über zehn durch Rundbögen verbundenen Pfeilern erhebt. Das Fresko zeigt in transparent-duftigen Farben die Himmelfahrt Mariens und an den Randzonen die Huldigung der damals bekannten vier Erdteile. Rechts, in der Nähe Europas, haben sich die Brüder selbst verewigt.

Preview of paradise: Dominikus Zimmermann built the pilgrimage church of SS Peter and Paul in Steinhausen near Bad Schussenried between 1727 and 1733. His brother Johann Baptist Zimmermann painted the ceiling vault, which is supported by ten columns linked by round arches. The fresco in translucent pastel shades depicts the ascension of the Virgin Mary, surrounded by scenes showing the four continents known at the time paying homage to her. On the right, close to Europe, the brothers have immortalised themselves.

Avant-goût de paradis: de 1727 à 1733, Dominikus Zimmermann édifia à Steinhausen, près de Bad Schussenried, l'église de pélerinage St. Peter und Paul. Son frère, Johann Baptist Zimmermann, peignit la voûte qui repose sur dix pilastres reliés par des arceaux en demi-cercle. Les fresques aux teintes transparentes et vaporeuses montrent l'ascension de la Vierge et, sur les bords, les quatres continents connus à l'époque lui présentant leurs hommages. Sur la partie droite de la fresque, là où est représentée L'Europe, les frères se sont eux-même immortalisés.

Bräuche und Feste sind regelmäßig wiederkehrende Ereignisse, aber sie durchbrechen auch die Gleichförmigkeit des Alltags. Als eine Art gemeinsame Grammatik gliedern sie Jahres- und Lebenslauf, stehen symbolisch für überlieferte Formen der Lokalgeschichte, des Glaubens, der Arbeit. Sie geben Einblick in eine vergangene Lebenswelt und zeigen den Wandel der Gesellschaft, alte Formen wie Fasnacht, neue Übungen wie „Dorfhocketen" (Ortsfeste). Gewiß sind viele von der ursprünglichen Funktion abgezogen, zu historisierten Relikten und folklorisierten Ritualen geworden. Aber zugleich gibt es in unserem freizeitindustriell zugerichteten Lebenszusammenhang ein Bedürfnis nach Rückversicherung unseres Herkommens – eine Sehnsucht nach Festen. Und in Oberschwaben ist die Volksfrömmigkeit tiefer, die Besinnung auf die Tradition der städtischen Zünfte und ländlichen Vereine stärker als anderswo.

Aus der Fülle der Feste und Bräuche im Jahreslauf ragt zunächst die schwäbisch-alemannische Fasnet hervor, die vor allem in den ehemals vorderösterreichischen Städten Ehingen, Munderkingen, Riedlingen, Saulgau, Bad Waldsee, aber auch in den an Oberschwaben grenzenden Gemeinden Stockach und Scheer ihre Hochburgen hat. Hier treiben Hexen und Hästräger wie Riedhutzeln, Gole, Faselhannes, Federle oder Schrätterle in Flecklesgewändern und Butzenverkleidung mit Glocken, Schellen, Peitschen und mit Schweinsblasen ihren Mummenschanz.

In die Endphase geht das „Mäschkere" (Maskenlaufen) am „gumpigen" (wenn die Narren gumpen und springen) oder „schmotzigen Donnschtig" (wenn am Donnerstag Fasnetsküchle in Schmalz, Schmotz, gebacken werden). In Munderkingen balancieren die Narren auf dem Rand des Marktbrunnens, trinken Glühwein, springen ins kalte Naß hinein und dürfen die umstehenden Mädchen küssen. Der Munderkinger Poet Carl Borromäus Weitzmann reimte 1803: „Zu Faschingszeiten,/Da trägt er als Trommelgesell/Bei Trommel und Pfeife den Degen zur Seiten,/Tanzt hoch auf dem Brunnengestell,/Trinkt Vivat dem Kaiser mit Neckarwein,/Trinkt Vivat dem Liebchen, und springt hinein." In Sigmaringen und Scheer wird beim „Bräuteln" der Initiationsritus der Gesellentaufe aufgenommen: Frischverheiratete Männer werden auf eine Stange gesetzt, um einen Brunnen getragen, hineingetaucht. Oder sie rennen um die Wette zum Wirtshaus, wo der Verlierer die Zeche zahlt. In Riedlingen gibt es am Dienstag „Froschkutteln", eine Suppe aus Rinderinnereien. Anschließend rutschen die Narren aus dem ersten Stock des Gasthauses „Mohren" auf den Marktplatz hin zu den wartenden Weibern.

Neben Heischebräuchen, bei denen die Narren Lebensmittel erbitten, haben sich Rügezeremonien gehalten, bei denen die bestehende Ordnung symbolisch umgestoßen, den Herrschenden der Spiegel vorgehalten wird. So tagt in Stockach vom Fasnachtssonntag bis zum Dienstag „das Hohe grobgünstige Narrengericht", das auf ein Privileg von 1315 zurückgeht, als der Hofnarr Hans Kuony seinem Herzog Leopold einen erfolgreichen Kriegsrat gegeben haben soll. Heute werden meist hohe Herren der Politik vorgeladen und in einer Gerichtsparodie zu Strafen verurteilt, die in Wein oder – wie im Fall des verstorbenen bayerischen Ministerpräsidenten Franz Josef Strauß – schon mal in Bier abgegolten werden müssen. Gehen die närrischen Tage zu Ende, wird die Fasnet verbrannt, bei der „Ausfegete" der Geldbeutel für gewinnbringende Zeiten gewaschen. Am folgenden „Funkensonntag" brennen auf den Anhöhen Feuer, werden glühende Holzscheiben geschlagen, beim Funkenlöschen ring- oder brezelförmige „Funkenringe" aus Mürbteig verspeist.

Brezeln gibt es auch am Palmsonntag. Im Raum Riedlingen-Saulgau werden „Palmen" in den Kirchen geweiht, später zur Schadensabwehr ans Scheunentor genagelt oder neben Haus- und Stalltüren aufgestellt: bisweilen noch einfache Sträußchen, oft bis zu fünf Meter hohe Stecken. Wahre Kunstwerke aus Weidenkätzchen,

Fastnächtlicher Mummenschanz und Hexentanz in Ravensburg (oben).
Ein Bad Waldseer „Faselhannes" (unten).

Fasching masks and witches' dance in Ravensburg (above). Bad Waldsee's Fasching character: the "Faselhannes" (below).

Mascarade du carnaval et danse des sorcières à Ravensburg (ci-dessus). Le «Faselhannes» de Bad Waldsee (ci-dessous).

das Kreuz in die Donau gehalten, es soll Badende vor Unheil schützen.

Wundertätige Hilfe erwarten sich Gläubige auch von Wallfahrten auf den Bussen, den „heiligen Berg Oberschwabens". Und ein besonderer Kult rankt sich um das heilige Blut. In Bad Wurzach wird am zweiten Freitag im Juli das „Heiligblutfest" gefeiert, bei dem rund 700 Reiter und 20 Musikkapellen auf den „Gottesberg" ziehen. Vorbild dieses 1928 eingeführten Festes ist natürlich die größte und eindrucksvollste Feierlichkeit Oberschwabens: der Weingartener „Blutritt". Am Tag nach Christi Himmelfahrt versammeln sich um die Basilika über 2 000 Reiter in Frack und Zylinder, ihre Pferde sind mit Geschirr und Schabracken herausgeputzt, geleitet werden sie von Standartenträgern, Bürgergarden und an die 80 Spielmannszügen, dazu Pfarrherren und Ministranten. Nach der Pilgermesse wird die Heiligblut-Reliquie dem Blutreiter, einem Pater des Benediktinerkonvents, übergeben, der sie durch die Stadt und die Esch, die Flur im Schussental trägt. An vier Altären wird gebetet und der Segen für die Felder erfleht, dazu läutet eine Glocke der Basilika. Anschließend kehrt die Reliquie in die Obhut des Klosters zurück, wo ein Pontifikalamt die Feierlichkeiten beendet, zu denen bis zu 50 000 Gäste in der Stadt weilen. Judith, Gemahlin Welfs IV., vermachte die Reliquie 1094 den Mönchen auf dem Martinsberg, die Verehrung ist seit 1215 bezeugt. Eine Reiterprozession

Buchsbaum, Hasel- oder Wacholderzweigen, die mit Kronen und Kugeln, Bögen und Girlanden gebaut und mit gefärbten Eiern, Äpfeln, bunten Bändern und hölzernen Kreuzchen verziert sind. Die früher zur Fastenzeit üblichen Passionsspiele und Umzüge sind heute selten, und die einst strengen Fastengewohnheiten werden meist nur noch am Karfreitag eingehalten. Dabei werden auch Maultaschen verzehrt: Die schwäbischen Ravioli sind mit Brät gefüllt, der Teig soll das Fleisch kaschieren – deshalb werden sie „Gottesb'scheißerle" genannt. An Ostern, dem

ältesten und höchsten Fest der Christenheit, werden im Gottesdienst Eier als Symbol der Fruchtbarkeit und Lebenskraft geweiht. Verbreitet ist auch das „Maienstecken": Junge Männer setzen den angebeteten Mädchen im Wonnemonat geschmückte Bäume aufs Hausdach.

Im Frühjahr und Frühsommer kommt die Zeit der Prozessionen: Sie sind Zeichen lebendiger Heiligenverehrung und sollen Gottes Segen für die Felder erflehen. Sie sind aber auch Demonstrationen oberschwäbischer Eigenart und bäuerlichen Eigen-Sinns, die das katholische Bekenntnis, den Wert der Äcker als Lebensgrundlage, den Besitzerstolz auf das Pferd offenbaren. Da gibt es den Leonhardsritt in Gaisbeuren bei Ravensburg oder Merazhofen bei Wangen, den Wendelinusritt in Niederstaufen bei Scheidegg oder in Gutenzell bei Biberach, den Stefansritt in Eisenharz bei Ravensburg. Zahlreich sind Flurumgänge wie in Bad Waldsee – und da endet schon mal ganz eigennützig die Fürbitte beim Überschreiten der Markungsgrenze. In Riedlingen wird beim Bittgang

wurde erstmals 1529 urkundlich erwähnt, 1743 gründete sich eine Bruderschaft der Blutreiter, der über 7 000 Mitglieder angehörten. Mit der josephinischen Aufklärung untersagte das Bistum Konstanz 1805 den Umritt, der Bittgang mußte zu Fuß stattfinden. 1812 verbot das kirchenkämpferische Königreich Württemberg das kollektive Glaubensbekenntnis, erst Mitte des 19. Jahrhunderts wurde es wieder zugelassen, um 1890 dann wiederbelebt.

Neben Jahr- und Viehmärkten sowie neuerdings Dorf- und Straßenfesten wie dem Altstadt- und Seenachtsfest in Bad Waldsee gibt es in Oberschwaben eine Reihe

Am Tag nach Christi Himmelfahrt versammeln sich in Weingarten rund 2000 Reiter und Standartenträger zum „Blutritt", der prächtigsten Prozession Oberschwabens.

On the day after Ascension Day around 2,000 riders and standard-bearers gather in Weingarten for the "Blutritt" (Blood Ride), Upper Swabia's grandest procession.

Le lendemain de l'Ascension, environ 2000 cavaliers et porteurs d'étendards se rassemblent à Weingarten pour célébrer le «Blutritt», la plus somptueuse procession de Haute-Souabe.

von weltlichen Heimat- und Volksfesten. Viele knüpfen an lokalhistorische Ereignisse, Brauchtum der Handwerker oder Sagen an: Der „Schweizertag" in Stockach am Wochenende vor oder nach Fronleichnam ruft die erfolglose Belagerung der Stadt durch die Schweizer im Jahr 1499 wach. Die Überlinger „Schwedenprozession", an zwei Terminen im Mai und Juli begangen, basiert auf einem Gelübde im Dreißigjährigen Krieg, als die Stadt einen schwedischen Angriff unbeschadet überstand. Der „Schwörmontag" in Ulm mit dem Wasserfestzug „Nabada" beschwört die 1397 garantierten Bürgerrechte mit dem traditionellen Eid des Oberbürgermeisters.

Andere Feste sind neueren Datums, sie sollen das Ortsbewußtsein wiederbeleben oder als Touristenattraktion dienen: Das 1948 ins Lebens gerufene „Seehasenfest" in Friedrichshafen nimmt am zweiten Wochenende im Juli als fasnachtsähnliches Spektakel den regionalen Necknamen auf. Das Tettnanger „Montfortfest", erstmals 1948 und seitdem im zweijährigen Turnus am ersten Juliwochenende gefeiert, verweist auf die seit 1260 in der Stadt residierenden und später verarmten Grafen von Montfort. Andere Veranstaltungen führen die Privilegien zünftiger Organisationen vor: Der aus dem 17. Jahrhundert stammende „Schwertletanz" in Überlingen erinnert am zweiten Sonntag im Juli an das Vorrecht der Rebleute, ihre Waffen zu zeigen. Das Ulmer „Fischerstechen" aus dem 15. Jahrhundert wird im vierjährigen Tur-

nus zur Schwörwoche von Familien der einstigen Fischerzunft ausgerichtet; es ahmt Ritterturniere und wohl auch den Streit um Fischereireichte nach.

Kinder stehen im Mittelpunkt vieler Veranstaltungen. Das Biberacher Schützenfest „D'Schütze" in der ersten Juliwoche war vermutlich Jahresfest der 1481 erstmals erwähnten Schützengilde, jetzt ist es ein einwöchiger bunter Reigen mit historischem Umzug, Krönung des Schützenpaares, Lotterie und Tanzvorführungen. Nach dem Dreißigjährigen Krieg als Dank- und Friedensfest wiederaufgenommen, wird es seit 1825 von beiden Konfessionen gefeiert, eine besondere Attraktion ist das „Schützentheater" mit den seit 1819 abgehaltenen Märchenfestspielen. Das 1924 wiederbegründete Bad Buchauer „Adelindisfest" trägt den Namen einer adligen Klosterfrau. Einst wurden Adelindisbrote gratis verteilt, heute wird im zweijährigen Rhythmus im Juli oder August Kindern mit Lampionzug oder Adlerschießen ein Unterhaltungsprogramm geboten. Beim Isnyer „Bogenspringen", das vier Tage lang um den zweiten Juli-Sonntag stattfindet, liegen die Ursprünge im 17. Jahrhundert. Damals beschloß der Rat, daß sich Kinder außerhalb der Stadt vergnügen dürften. Für besonders gute Leistungen wurden einst Papierbogen verteilt, heute gibt es Festzug und Jahrmarktsrummel, Theater und Adlerschießen. Das Saulgauer „Bächtlefest", erstmals 1534 erwähnt und an drei Tagen im Juli gefeiert, hat diverse Deutungen. Angeblich wurden am Bechtlintag Nüsse an Kinder verschenkt, bisweilen muß die altgermanische Göttin Bercha als Namensgeberin herhalten. Wahrscheinlich rührt die Bezeichnung von Backen und Backwerk her, das den Kindern zugute kam. Früher mußten sie schöne „Bächtlesschriften" fertigen, das moderne Repertoire beschränkt sich auf Festzug, Kinderspiele, Konzerte und Adlerschießen.

gische Herrscher auf, wird an die ruhmreiche Handelsgesellschaft erinnert. Auch beim Adlerschießen sind Reichsadler und Reichsapfel als Zeichen der Reichsstadtherrlichkeit präsent, und in der Auszeichnung der besten Schülerinnen und Schüler als „Oberstköniginnen" und „Oberstfähnriche" spielt die einstige Wehrhaftigkeit ebenso eine Rolle wie im Armbrustschießen der Schützengilde. So spiegelt sich in den Festen jenes „Oberschwabenbewußtsein" wider, so der Historiker Franz Quarthal, das sich mit der Geschichte ins kollektive Gedächtnis eingegraben hat und das hier im Wissen um Unterdrückung und Freiheit, Not und Überschwang lebendig geblieben ist.

Fahnenumzug auf dem „Rutenfest" - hier die Wappen anderer Städte mit Stauferlöwe und habsburgischem Doppeladler.

Flag parade at the "Rutenfest"– here the coats of arms of other cities, including the Staufen lion and the Habsburg double eagle.

Défilé des étendards au cours de la «Rutenfest» – ici, les armoiries d'autres villes arborant le lion des Hohenstaufen et l'aigle à deux têtes des Habsbourg.

Beim Ravensburger „Rutenfest" wird heute vor allem die ruhmreiche Geschichte der alten Reichs- und Handelsstadt inszeniert.

Nowadays the main feature of the Ravensburg "Rutenfest" is a portrayal of the old imperial and mercantile city's glorious history.

La «Rutenfest» à Ravensburg, est aujourd'hui avant tout l'occasion d'évoquer l'histoire glorieuse de cette ancienne ville d'empire et cité marchande.

Das bekannteste Kinderfest Oberschwabens ist das Ravensburger „Rutenfest", das aufs Jahr 1645 zurückgeht und um den zweiten oder dritten Sonntag im Juli begangen wird. Auch hier gibt es unterschiedliche Interpretationen: Nach der einen zogen die Schüler mit den Lehrern vor die Stadt, um Strafruten zu schneiden, dabei durften sie wenigstens spielen und wurden bewirtet. Nach anderer Ansicht wurden Ruten als belaubte Festzeichen geholt und in die Stadt zurückgebracht. Heute ist aus dem Kinderfest ein allgemeines Bürgerfest geworden. Beim Festzug werden Stadtwappen und -wahrzeichen mitgeführt, treten welfische und habsbur-

Magie der Masken: der Narrenbrunnen in Saulgau, einer der Hochburgen der oberschwäbischen Fasnet.

The magic of masks: the Narrenbrunnen or Fools' Fountain in Saulgau, one of the strongholds of Upper Swabian Fasnet, or Fasching.

Magie des masques: La «Fontaine des Fous» (Narrenbrunnen), à Saulgau, l'un des bastions du carnaval (appelé ici Fasnet) de la Haute-Souabe.

Das Gespür für die besonderen Überlieferungen und Mentalitäten einer Region ist in den letzten zehn, zwanzig Jahren gewachsen, und man erkennt zunehmend, wie sich eigen-sinnig Regionales in Versen und Liedern, in Romanen und Menuetten „abfärbt". Altwürttemberg mit Residenz in Stuttgart, straffer Verwaltung und einer Landesuniversität als geistigem Zentralort und Ausbildungsstätte braver, protestantischer Beamter färbt eben anders ab als Oberschwaben, das bis 1803 bunte, katholische Mosaik aus Reichsstädten, reichsunmittelbaren Abteien und Stiften, österreichischen und ritterschaftlichen Gebieten. „Dieser Unterschied", so stellte der im oberschwäbischen Rottenacker geborene ehemalige Stuttgarter Kultusminister Gerhard Storz einmal fest, „ist für die Entwicklung von Kunst und Literatur, für die Geistesgeschichte überhaupt, in beiden Landesteilen bestimmend geworden. Im Oberland fehlte die auslesende, sammelnde Wirkung von Bildungsstätten, wie sie das Unterland im Tübinger Stift und den Seminaren besaß. Hier gingen die Antriebe von Klöstern, Grafenschlössern, Reichsstädten aus, und sie erfolgten ohne Plan." Zu Recht nennt der Schriftsteller Peter Renz heute Oberschwaben eine „Seelenlandschaft", für ihn ist diese Region auch eine „Sehnsuchts- oder Heimwehlandschaft". Schon Carlo Schmid wies 1946 als damaliger Präsident des Staatssekretariats Württemberg-Hohenzollern in einem poetischen „Lob Oberschwabens" auf diesen Zug der Menschen „nach einem Orte, der ihnen Dinge schenken könnte, ohne die sie nicht leben möchten" hin. Und zwischen Donau und Bodensee schien ihm „ein Menschenbild zur Ausprägung gekommen zu sein [...], in dem Züge der Humanität bewahrt werden konnten, die anderswo geopfert werden mußten".

Anschaulich zeigt sich das beispielsweise in den oberschwäbischen Bibliotheken, die uns heute wie Wunder-Kabinette erscheinen, etwa die barocken Klosterbibliotheken in Wiblingen, Bad Schussenried oder Ochsenhausen. Als man 1993 in Ochsenhausen die 900-Jahr-Feier des ehemaligen Klosters beging, holte man die in alle Welt verstreuten Bücher- und Handschriften für eine kurze Ausstellungs-Zeit zurück. 1825 hatte der österreichische Staatskanzler Fürst Metternich seinen oberschwäbischen Besitz verkauft, die kostbarsten Handschriften, Frühdrucke und Bücher aus ehemals 70 000 Werken, einem repräsentativen Querschnitt der Handschriften- und Buchproduktion von 900 bis 1800, ausgewählt und mit Ochsenkarren auf sein böhmisches Schloß Königswart bei Marienbad geschafft. Der württembergische König Wilhelm I. hatte als neuer Besitzer von Ochsenhausen kein bibliophiles Interesse.

Die Benediktiner, deren Leitspruch „ora et labora" sie zu Gebet und Konzentration einerseits und Öffentlichkeit und Bildungsarbeit andererseits verpflichtete, trugen in ihren Bibliotheken das Wissen ihrer Zeit zusammen. Deshalb waren in der ehemaligen Klosterbibliothek Ochsenhausen theologische Bücher nur der geringste Teil, schon früh hatte man Interesse an Naturwissenschaften, Baukunst, Technik, Medizin, Weltchroniken oder China-Karten. Und wenn im 16. Jahrhundert in Amsterdam beispielsweise ein neues Buch über eine Mondlandkarte erschien, dann

stand es noch im selben Jahr im oberschwäbischen Ochsenhausen, wo man auch eine kleine Sternwarte betrieb. Nicht zu Unrecht nannte der letzte, aufklärungssinnige Abt seine Bibliothek eine „Kornkammer des Geistes", ein Bild, das die landwirtschaftliche Grundlage des Klosters und – wie man heute sagen würde – den Bildungsauftrag aufs schönste in Beziehung setzt. Dieser hellsichtige Mann erkannte übrigens die Zeichen der Säkularisation sehr früh und schaffte mindestens sechzig heute noch verschollene wertvolle Handschriften auf die Seite, um sie vor Metternich zu retten. In irgendwelchen Kirchen- oder Ordensarchiven wird man diese kostbaren Schätze noch finden können – Umberto Ecos Mittelalter-Krimi „Der Name der Rose" läßt grüßen.

Mehrfach tagte die Gruppe 47 – hier Heinrich Böll, Ilse Aichinger und Günter Eich – in Oberschwaben.

The group 47 – writers Heinrich Böll, Ilse Aichinger and Günter Eich are seen here – met several times in Upper Swabia.

Plusieurs réunions du «groupe 47», dont les écrivains Heinrich Böll, Ilse Aichinger et Günter Eich, ici photographiés, sont membres, eurent lieu en Haute-Souabe.

Im Turm der Isnyer Nikolaikirche findet sich eine ganze andere, vorbarocke (Prediger-)Bibliothek, aufgebaut aus einer Stiftung von 1482. Fast vollständig erhalten sind die frühen Schriften der Reformatoren Luther, Melanchthon und Zwingli (ein Hinweis auf die vielen Verflechtungen Oberschwabens über den Bodensee hinweg). In einem Folianten des 15. Jahrhunderts notierte der Isnyer Bürgersohn Jodocus Loner zum Schluß, er habe die 436 zweispaltigen Seiten als Schüler in 54 Tagen abgeschrieben, Johannes Kimpfler habe ihm dabei Korrektur gelesen und ihn mit Birnen bei der Arbeit gestärkt – hier blitzt etwas vom Geist der Reichenauer Mönche auf, die vor über tausend Jahren in vielen Bänden das gesamte Wissen ihrer Zeit kopiert und so für uns aufbewahrt haben.

Oberschwabens Kunst zeichnet sich auf den meisten Feldern durch einen geselligen Dialog-Charakter aus. Der literarische Bogen spannt sich dabei vom glanzvollen Hof des letzten Welfenherzogs auf der Veitsburg bei Ravensburg, der Dichter und Sänger anzog, bis hin zu dem seit 1967 jährlich stattfindenden „Literarischen Forum Oberschwaben". Kein geringerer als Walther von der Vogelweide (um 1170–1230) rühmte: „der milte Welf gemuot, dez lop war ganz, es ist nach Tode guot" (wie sein Vetter ist „der freigiebige Welf gestimmt, dessen Lobpreisung war so vollkommen, daß er den Tod überdauert"). Und das „Literarische Forum" ist von den vielen Arbeitskreisen und Initiativen, die in den sechziger Jahren der legendäre, kunstsinnige Landrat von Wangen, Walter Münch, angestoßen hat, am lebendigsten geblieben. Vorleser und Zuhörer, Kritiker, Debütanten und Profis wie Martin Walser treffen sich einmal im Jahr an wechselnden Orten, vor allem im schönen Wangener Rathaus, und versuchen, im helfenden Gespräch miteinander Texte zu vervollkommnen. Auch die Gruppe 47 – mit ihrer allerdings so ganz anderen, unerbittlichen Kritik-Praxis – war mehrfach in Oberschwaben zu Gast.

Auf der „Schwäbischen Dichterstraße" kann man all die Orte mit literarischer Bedeutung leicht finden, etwa das Schloß Warthausen bei Biberach, wo – zusammen

mit Friedrich Graf von Stadion und Christoph Martin Wieland („der größte Dichter seines Zeitalters", so steht heimatstolz in der Pfarrmatrikel seines Geburtsorts Oberholzheim) – die „Musen und Grazien lustwandelten". Oder Obermarchtal: Hier lebte der Chorherr Sebastian Sailer (1714–1777), volkstümlicher Prediger, Mundartdichter und „schwäbischer Cicero", der seine Komödie „Schwäbische Schöpfung" 1743 im Kloster Schussenried einmal ganz alleine aufführte, alle Rollen spielte, alle Arien und Arietten sang und sich dabei auf der Geige selbst begleitete. Seine derben Predigten nannte er „geistliche Hosenträger", dazu bestimmt, „den oberen und den unteren Menschen zusammenzuhalten".

Oberschwaben ist voll von solchen Erinnerungen und Orten, wo diese gepflegt werden – auch wenn die „unliterarische" Kirche ihre Sache vor allem „auf Symbol- und Imponierwerte gestellt hatte, auf Architektur, Plastik, Bild und Musik, und nicht wie später die Protestanten, aufs Wort" (Werner Dürrson). In den oberschwäbischen Klöstern, deren Kultur und vor allem Musik man seit Mitte der achtziger Jahre verstärkt entdeckt und ausgräbt, pflegte man Konzert und Tafelmusik, man wollte auf das Ohr, das Auge, das Gemüt wirken. Biberachs „Löbliche Musikgesellschaft" führte das im 18. Jahrhundert im städtischen Rahmen weiter. In diese spielerisch-gesellige Tradition kann man auch den in Meßkirch geborenen Komponisten Konradin Kreutzer (1780–1849) einreihen; er machte in Wien Karriere, schrieb 37 Opern (darunter „Das Nachtlager von Granada"), acht Schauspielmusiken (für Raimunds „Verschwender" das bekannte Hobellied „Da streiten sich die Leut herum") und außerdem zahl-

reiche Chorlieder („Das ist der Tag des Herrn", nach einem Gedicht von Ludwig Uhland).

Aber nicht nur mit „barocker" Kirchenkunst ist Oberschwaben reich gesegnet. Im Braith-Mali-Museum in Biberach kann man eindrucksvolle, vor-impressionistische Genrebilder der beiden Stifter und Maler Anton Braith (1836–1905) und Christian Mali (1832–1906) sehen, zusammen mit Arbeiten von Johann Baptist Pflug (1785–1866), dem malenden Chronisten oberschwäbischer Geschichte und Geschichten, oder die Werke von Jakob Bräckle (1897–1987), der in seinen abstrakten Landschaftsbildern den „konkretesten" Schnee gemalt hat. Bildschnitzer, Freskenmaler oder Stukkateure wie Jörg Syrlin, Jörg Zürn, Joseph Anton Feuchtmayer, Hans Multscher und viele, viele andere haben oberschwabenweit wunderschöne Zeugnisse zum Entdecken hinterlassen. In Oggelshausen steht ein modernes Skulpturenfeld, bei Kißlegg-Hundhöfe ein von Elmar Daucher geschaffenes „Allgäuer Steinmal" aus großen, zirkelhaft wie bei heidnischen Kultstätten angeordneten Steinblöcken. Und bevor einem die Augen angesichts der vielfältigen Kunst-Schönheit ganz übergehen, kann man in der Kißlegger Realschule im Treppenhaus durch die Deckenmalerei des zeitgenössischen Künstlers Dieter F. Domes so lange hindurchschauen, bis sich im oberschwäbischen Himmel, der diese schöne Gegend so oft wie eine zierliche Schneekugel überwölbt, eine konstruktivistische Linie sachte öffnet – und wir der Wahrheit und den Grenzen Oberschwabens vielleicht direkt begegnen.

Der in Meßkirch geborene Komponist Konradin Kreutzer (1750–1849) wurde in Wien weltbekannt.

The Messkirch-born composer Konradin Kreutzer, 1750–1849, gained world renown in Vienna.

Ce fut à Vienne que le compositeur Konradin Kreutzer (1750–1849), natif de Meßkirch, acquit une renommée mondiale.

Prächtiges Frühbarock: „Er sah eine auffällige Kirche, er gönnte seinem Herrn eine bessere", so schreibt der Chronist des Prämonstratenserklosters Obermarchtal über den Abt Nikolaus Wierith, der von Vorarlberger Baumeistern ab 1686 die weitläufige Anlage bauen ließ.

Superb early Baroque: "He saw a distinctive church, and decided to give his Lord a better one," wrote the chronicler of the Premonstrate monastery of Obermarchtal about Abbot Nikolaus Wierith, who commissioned Vorarlberg builders and architects to construct the extensive monastery complex, begun in 1686.

Splendeur du baroque naissant: «Il vit une église remarquable, mais il en voulut une plus belle encore pour son Seigneur», ainsi l'écrivait le chroniste de l'abbaye des Prémontrés de Obermarchtal à propos de l'abbé Nikolaus Wierith qui, à partir de 1686, fit bâtir cet ensemble de vaste dimensions par des architectes du Vorarlberg.

Hohelied auf die Welt des Geistes: Wiblingen bei Ulm – eine Benediktiner-Abtei, gegründet im 11. Jahrhundert, im 15. Jahrhundert ein Mittelpunkt der benediktinischen Reformen, später eine Akademie gelehrter Mönche, im 18. Jahrhundert eine Hochburg barocker Kunst – ein ganz normales oberschwäbisches Kloster, allerdings mit einer gewaltigen Kirche und einer wunderschönen Bibliothek, in der der Gott Chronos inmitten ewiger Künste an die Zeitlichkeit des menschlichen Strebens erinnert.

A paean to the world of the spirit: Wiblingen near Ulm, a Benedictine abbey founded in the eleventh century. In the fifteenth century it was a centrepoint of Benedictine reforms, and later an academy for learned monks. In the 18th century it became a stronghold of Baroque art – in other words, a perfectly ordinary Upper Swabian monastery, albeit with an enormous church and a wonderful library, where Chronos, the god of time, is a reminder of human mortality amidst eternal arts.

Louanges du monde de l'esprit: Wieblingen, dans les environs d'Ulm, abbaye bénédictine; fondée au XIe siècle, centre des réformes des bénédictins, devint plus tard une académie des moines érudits. C'est, au XVIIIe siècle, un haut-lieu de l'art baroque. Un monastère ordinaire de Haute-Souabe, paraît-il, mais qui est doté d'une église d'énormes dimensions de même que d'une bibliothèque dans laquelle le Dieu Chronos rappelle, au milieu des arts éternels, la brièveté de toute aspiration humaine.

Adressen

Gebietsgemeinschaft Allgäu-Bodensee-Oberschwaben
Ravensburger Str. 1, 88339 Bad Waldsee oder
Postfach 1464, 88333 Bad Waldsee
Tel. 0 75 24/94 13 43; Fax 94 13 45
Fremdenverkehrsverband Bodensee-Oberschwaben
Schützenstr. 8, 78462 Konstanz
Tel. 0 75 31/90 94-0; Fax 90 94 94
Gesellschaft Oberschwaben für Geschichte und Kultur e. V.
c/o Kreisarchiv Bodenseekreis, Pestalozzistr. 25,
88677 Markdorf
Tel. 0 75 44/81 94; Fax 81 96
Touristikverband Neckarland-Schwaben
Lohtorstr. 21, 74072 Heilbronn
Tel. 0 71 31/7 85 20; Fax 78 52 30

Schöne Aussichten

auf Oberschwaben, Bodensee und Alpen von:
Bussen (bei Riedlingen)
Gehrenberg (bei Markdorf)
Heuneburg (bei Hundersingen)
Mehlsack (Rundturm in Ravensburg)
Waldburg (zwischen Ravensburg und Wangen)
Schlegelsberg (bei Wolfegg)
Schloß Zeil (bei Leutkirch)
Heiligenberg (zwischen Pfullendorf und Markdorf)
Höchsten (östlich vom Heiligenberg)

Baden

möglich in zahlreichen Weihern und Seen, in Kur- und Thermalbädern (weitere Informationen bei den **Verkehrs- und Kurämtern,** *siehe dort)*
Aulendorf (Thermalbad, Steeger See)
Bad Buchau (Thermalbad)
Bad Schussenried (Zellersee)
Bad Waldsee (Stadtsee, Thermalbad)
Bad Wurzach (Badeseen, Moor-Freibad)
Biberach (Jordanbad: Kneipp- und Thermalbad)
Hoßkirch (Badesee)
Illmensee (Natursee)
Kißlegg (Strandbad, Naturbadeseen)
Leutkirch (Strandbad)
Saulgau (Thermalbad, Wagenhauser Weiher)
Tettnang (Freibäder, Naturstrandbad)
Wilhelmsdorf (Lengenweiler See)
Wolfegg (mehrere Weiher)

Ferienstraßen

Oberschwäbische Barockstraße
Erschließt auf vier gut ausgeschilderten Routen (Hauptstrecke, West-, Süd- und Ostroute) das „Himmelreich des Barock" zwischen Ulm, Bodensee und Allgäu. Kennzeichen: Schriftzug und gelbes Puttenköpfchen auf blaugrünem Grund. Informationen: **Gebietsgemeinschaft Allgäu-Bodensee-Oberschwaben** (siehe unter **Adressen**).

Radwanderweg Donau-Bodensee
Auf drei Routen ist Radwandern mit und ohne Gepäck (bes. Service) möglich: über verkehrsarme Nebenstrecken und auf romantischen Wegen von Ulm aus über das Donautal durch Oberschwaben, ins Allgäu und zum Bodensee – und umgekehrt. Kennzeichen: weißer Radfahrer auf blauem Grund. Informationen: **Gebietsgemeinschaft Allgäu-Bodensee-Oberschwaben** (siehe unter **Adressen**).

Schwäbische Bäderstraße
Vom Moorheilbad Bad Buchau aus verbindet diese 140 km lange Straße neun oberschwäbische Kurorte und führt bis ins bayerische Schwaben. Kennzeichen: ein barocker Kirchturm mit Zwiebeldach und einer Wasserwelle auf braunen Wegweisern mit Schriftzug. Informationen: **Städtisches Verkehrsamt, Marktplatz 6, 88422 Bad Buchau, Tel. 0 75 82/8 08 12; Fax 8 08 40.**

Schwäbische Dichterstraße
Erschließt das literarische Baden-Württemberg, verbindet (mit vielen Abstechern) erinnerungsträchtige Orte, literarische Museen und Gedenkstätten – in Oberschwaben Achstetten-Oberbolzheim, Warthausen, Biberach, Ertingen, Ochsenhausen, Oberstadion, Bad Schussenried – und führt dann ins Bodenseegebiet, z. B. nach Überlingen und Meersburg. Kennzeichen: braunes Tintenfaß mit Feder auf weißem Grund. Informationen: **Touristikverband Neckarland-Schwaben** (siehe unter **Adressen**).

Lernpfade/Informationsmöglichkeiten

Bad Buchau: anderthalb Kilometer langer Holzsteg durch Schilf und Moor zum Federsee. Naturschutzzentrum Federsee, Federseeweg 6, Tel. 0 75 82/15 66; Fax 17 78 (Lit.: Günzl, H.: Das Naturschutzgebiet Federsee. Führer durch Natur- und Landschaftsschutzgebiete Bad.-Württ. 7. Karlsruhe 1983).
Bad Schussenried: Wanderweg von der Schussenquelle aus (im Norden der Stadt), bietet interessante geologische Aspekte wie den wechselnden Verlauf der Jungendmoräne, den imposanten eiszeitlichen Schussenfindling und Toteislöcher.
Bad Wurzach: Von der Grabener Höhe hat man einen guten Überblick über das Naturschutzgebiet Wurzacher Ried nördlich der Stadt mit Nieder- und Hochmooren, Verlandungen und Quellseen, Torfabbau – seit 1936 sind Moorbäder die „Basis" dieses Kurortes. Das Naturschutzzentrum, Rosengarten 1: Mo., Mi., Fr. 10–12 Uhr, Mo.–Do., So. und feiertags 14–17 Uhr, Tel. 0 75 64/93 12-0; Fax 93 12-22 – betreut das Wurzacher Ried, ein Naturschutzgebiet von europäischem Rang, mit Flach- und Hochmooren, Moorseen und Moorwäldern (Lit.: German, R.: Bad Wurzach. Ein naturkundlicher und geschichtlicher Führer durch die Umgebung. Stuttgart 1968).

Biberach: Naturlehrpfad, ca. 4 km asphaltierter Fußweg ab der Stadthalle, Informationen zu botanischen und heimatgeschichtlichen Aspekten sowie geologischen und mineralogischen Gegebenheiten.
Biberach: Der „Rad-Themenweg Landwirtschaft" bietet auf zwei Routen (Laupheim – Ochsenhausen, Federsee) „Erlebnisradeln von Hof zu Hof". Umfangreiche Broschüre und Informationen bei: Kreisbauernverband Biberach, Amriswilstr. 60–62, 88400 Biberach (Tel. 0 73 51/34 76 10, Fax 34 76 90).
Laupheim: Planetarium, Parkweg 44, Mi. und Fr. 19 und 20.45, Sa. 20.15, So. 14.30 und 16 Uhr.
Markdorf: Bauernhausstraße Bodenseekreis (Geschäftsstelle: Kreisarchiv Bodenseekreis, Pestalozzistr. 25, Tel. 0 75 44/81 94; Fax 81 96; Mo.–Fr. 9–12, 14.30–16.30 Uhr), versteht sich als Anregung, die für diese Region typischen bäuerlichen Hausformen in ihrer angestammten Umgebung kennenzulernen; eine ideale Sehschule mit einem aufschlußreichen Führer zu rund 500 repräsentativen Beispielen.
Meersburg: Weinkundeweg (Tel. 0 75 32/43 11 10).
Ochsenhausen: Wasserbauhistorischer Lehrpfad am Krummbach (Tel. 0 73 52/92 20-11).
Ochsenhausen: Zwischen Warthausen bei Biberach und Ochsenhausen verkehrt das „Öchsle", die einzige noch erhaltene Schmalspurbahn unter den baden-württembergischen Museumsbahnen. Informationen über Fahrplan und -preise, Platzreservierung und Buchung von Sonderfahrten: Städt. Verkehrsamt, Marktplatz 1, Tel. 0 73 52/92 20-26; Fax 92 20-19; Mo.–Do. 8–12 und 14–16 Uhr, Fr. 8–13 Uhr.
Sipplingen: Geologischer Lehrpfad vom Haldenhof aus, erschließt das geologische Profil der Überlinger Molasselandschaft, also den oberschwäbischen „Boden-Trog".
Weingarten: Wasserbauhistorischer Wanderweg Stiller Bach vom Kloster aus zum Rößler Weiher (Lit.: Landratsamt Ravensburg (Hrsg.): Begleitführer zum Wasserbauhist. Wanderweg „Der Stille Bach und seine Gewässer". Ravensburg 1989) (Tel. 07 51/40 51 25).
Wilhelmsdorf: Riedlehrpfad am nördlichen Ortsrand („Ringgenhof") durch das Pfrungener Ried. Naturschutzzentrum Pfrungener – Burgweiler Ried, Riedweg 3, Tel. 0 75 03/7 39; Fax 9 14 95 (Lit.: Zier, L.: Das Pfrungener Ried. Führer durch Natur- und Landschaftsschutzgebiete Bad.-Württ. 10. Karlsruhe 1985).

Museen

Altshausen: Skulpturenpark Herzogin Diane im Schloßpark, Skulpturen zeitgenössischer, internationaler Künstler, alle zwei Jahre (1997), Ende Mai–Anfang Oktober.

Bad Buchau: Federseemuseum, neu gestaltete Schausammlungen zu Archäologie, Naturkunde und Landschaftsgeschichte des Federseeraumes, zahlreiche Funde aus jungsteinzeitlichen und bronzezeitlichen Moorsiedlungen, Geologie, Geschichte und Gegenwart des Federsees und seines Rieds. Führungen, Schüleraktionen. April–Okt. 10–17 Uhr ohne Ruhetag, Nov.–März Mo. und Di. geschl. (Tel. und Fax 0 75 82/8 08 42).

Bad Schussenried: Klostermuseum in der Pfarrkirche „St. Magnus", Barockgemälde, Skulpturen, Epitaphien, Pontifikalien, liturgische Geräte. Ostern–Allerheiligen, Mo.–Fr. u. feiertags 13.30–18 Uhr, Sa., So. 10–12 Uhr (Tel. 0 75 83/26 16 oder 21 37).

Bad Schussenried: Freilichtmuseum Kürnbach, Griesweg, 88427 Kürnbach, beispielhafte oberschwäbische Häuser, Brunnen, Obstgarten mit alten Obstsorten, Bauerngarten. April–Okt. werktags 10–17 Uhr, Sonn- und feiertags 11–17 Uhr, Mai–Sept. werktags 9–18 Uhr, Sonn- und feiertags 11–18 Uhr, Mo. geschl. (Tel. 0 75 83/24 48 oder 0 73 51/5 22 03).

Bad Schussenried: Bierkrugmuseum, auf drei Stockwerken über tausend Krüge. Di.–So. 10–17 Uhr (Tel. 0 75 83/404-11, Fax 404-12).

Bad Waldsee: Heimatmuseum im Kornhaus (April–Okt. Führungen Sa. 10 Uhr, So. 9.30–11.30 Uhr, Tel. 0 75 24/53 07), Fasnets- und Ölmühlenmuseum (Führungen jeweils Mi. 14.30 Uhr, Eintritt frei), Stadtseemuseum im Stadtarchiv (Do. 10–13 Uhr, Tel. 0 75 24/94 13 42), Modelleisenbahn-Museum (So. 9.30–10.30 Uhr).

Bad Wurzach: Leprosenhaus, Ravensburger Str., Museum mit Bildern, Skizzen und Schriften des „Moormalers" Sepp Mahler; Ostern–Ende Okt., Fr., So. und feiertags 14–17 Uhr (Tel. 0 75 64/ 30 21 50).

Bad Wurzach-Eggmannsried: Oberschwäbisches Trachtenmuseum. 1. April–31. Okt., Sa. 14–17 Uhr, So. 10–12 Uhr (Tel. 0 75 64/27 53).

Biberach: Städtische Sammlungen im alten Spital, Museumsstraße 6, zeigen Zeugnisse der Archäologie, Naturkunde und Stadtgeschichte, Kunst der Gotik und Moderne, Sonderausstellungen und Ateliers und Arbeiten der Genremaler Anton Braith (1836–1905) und Christian Mali (1832–1906); Di–So. 10–17 Uhr (Tel. 0 73 51/5 13 32; Fax 5 13 14).

Biberach: Wieland-Gartenhäuser, Saudengasse 10/1; (Mi., Sa., So. 14–17 Uhr), Dauerausstellung „Gärten in Wielands Welt" vom ländlichen Pfarrgarten über Parklandschaften bis zu poetischen Kunstlandschaften (Tel. 0 73 51/5 14 58-59); Wieland-Schauraum und Wieland-Archiv, Zeughausgasse 4 (Mi., Sa., So. 10–12 Uhr), erinnert an die Arbeit des Kanzleiverwalters Wieland in Biberach, an Theaterwelt und literarisches Leben Ende des 18. Jh., Forschungsbibliothek (Tel. 0 73 51/5 14 58 und 5 13 07).

Dieterskirch: Sebastian-Sailer-Gedenkstätte im Pfarrhaus, Sebastian-Sailer-Str. 2; 1. So. im Monat 14–16 Uhr, sonst nach Vereinbarung (Tel. 0 73 74/7 47).

Ehingen: Ehemaliges Heilig-Geist-Spital, Kasernengasse 6, Renaissance-Fachwerkbau von 1532, Heimatmuseum mit umfangreicher Stadtgeschichtssammlung; Mi. 10–12, 14–18 Uhr, So. 10–17 Uhr (Tel. 0 73 91/7 50 64 und 50 31 04).

Ertingen: Michel-Buck-Stube (in der Kreissparkasse), Durmentinger Straße 14, Dokumente zu Leben und Werk des Arztes und Mundartdichters Michel Buck (1832–1888) (Tel. 0 73 71/5 08 21 und 49 67).

Friedrichshafen: Zeppelin-Museum „Technik und Kunst" im Hafenbahnhof, Seestraße 22, 88045 Friedrichshafen, weltgrößte Sammlung zur Geschichte der Luftfahrt, originalgetreue Rekonstruktion eines Teils der legendären LZ 129 „Hindenburg" (für Besucher begehbar), bedeutende Sammlung zur Kunst des südwestdeutschen und alpenländischen Raumes vom späten Mittelalter bis zur Moderne; Di.–So. 10–18 Uhr (Tel. 0 75 41/38 01-0; Fax 38 01-80).

Friedrichshafen: Schulmuseum, Friedrichstr. 14, Zeugnisse der (über)regionalen Schul- und Bildungstradition, original eingerichtete Klassenzimmer aus den Jahren um 1850, 1900 und 1930; 1. Mai–15. Nov. tgl. 10–17 Uhr, 1. Nov.–31. März tgl. außer Mo. 14–17 Uhr (Tel. 0 75 41/3 26 22).

Friedrichshafen-Ailingen: Streuobst-Museum „Weilermühle", 3 ha große Streuobstausstellung mit 114 hochstämmigen Bäumen; Auskunft bei BUND, Tel. 0 75 42/87 86 oder 0 75 44/51 62).

Hundersingen (bei Herbertingen): Heuneburgmuseum, 1. April–1. Nov. Di.–Sa. 13–16.30 Uhr, So. 10–12 Uhr, 13–17 Uhr (Tel. 0 75 86/16 79 oder 9 20 80).

Isny: Museum am Mühlturm, Fabrikstr. 21, zeigt Flachsanbau, Weberei, Münzgeschichte der Stadt (Münzwerkstatt mit Prägemöglichkeit); Di., Do., Sa., So. 14–17 Uhr (Tel. 0 75 62/701-68 und 701-19).

Isny: Predigerbibliothek, frühe Zeugnisse der Buchdruckerkunst, Schriften der Reformatoren Luther, Melanchthon, Zwingli, rund 70 Handschriften und 170 Wiegendrucke; Führung Mi. 10.30 Uhr, geschlossen vom Reformationstag bis Ostern.

Kißlegg: Neues Schloß, Museum „Expressiver Realismus", Malerei des 20. Jh.; Di.–So. und feiertags 10–17 Uhr, Wintermonate Sa. und So. 14–16 Uhr.

Langenargen: Museum Langenargen, Marktplatz 20 (betreut von einer mehrfach ausgezeichneten Bürgerinitiative), Werke von Künstlern der Bodenseeregion, Zeugnisse der 1200jährigen Ortsgeschichte und der Grafschaft Montfort; Mitte April–19. Okt. tgl. außer Mo. 10–12, 14–17 Uhr (Tel. 0 75 43/34 10 und 22 00).

Laupheim: Stadtmuseum, das die Geschichte der Laupheimer Juden nicht losgelöst von der Heimatgeschichte darstellen will (im Aufbau, Eröffnung 1998).

Leutkirch: Museum im Bock, Am Gänsbühl 9, eines der wenigen Museen in dieser Region, das tatsächlich „Geschichte von unten" zeigt, Zeugnisse von Bauern und Handwerkern; So. und feiertags 10–12, 14–17 Uhr, Mi. 15–18 Uhr (Tel. 0 75 61/87-154).

Meersburg: Weinbau-Museum in der altstädtischen Vorburggasse 11; April–Okt. Di., Fr., So. 14–17 Uhr (Tel. 0 75 32/43 11 10).

Meersburg: Droste-Museum im Fürstenhäusle, Stettener Str. 9, in der Oberstadt, Bücher, Möbel, persönliche Erinnerungsstücke der Dichterin; Ostern – Mitte Okt. tägl. 10–12.30 Uhr, 14–17 Uhr, an Sonn- und Feiertagen 14–17 Uhr (Tel. 0 75 32/60 88).

Meersburg: Deutsches Zeitungsmuseum, Schloßplatz 13, Geschichte der deutschsprachigen Zeitung von der Papierproduktion über Drucktechnik bis hin zur Nachrichtenbeschaffung, Schwerpunkt zwischen 1590 und 1848; April–Okt. tgl. 11–17 Uhr, Nov.–März nur Führungen (Tel. 0 75 32/71 58).

Mengen: Heimatmuseum, Hauptstr. 96, Fachwerkhaus aus dem 17. Jh., ehemalige Thurn- und Taxissche Posthalterei mit interessanten kultur- und kunstgeschichtlichen Zeugnissen; Mai–Okt., jeden 1. und 3. So. im Monat 14–17 Uhr (Tel. 0 75 72/6 07-20 oder 0 75 76/73 18).

Mietingen: Bauernkriegsstube Baltringen, Hauptstr. 19, erinnert an die Geschichte des Baltringer Haufens und des Bauernkriegs in Oberschwaben; Mo., Di., Do., Fr. 8–12 Uhr, Mi. 16–18 Uhr (Tel. 0 73 56/23 21 oder 25 78).

Ravensburg: Städt. Museum im Vogthaus, Charlottenstr. 36, Fachwerkhaus aus dem Spätmittelalter, Zunft- und Reichsaltertümer, Münzsammlung, Volkskulturzeugnisse von der Gotik bis zum Biedermeier; Di.–Sa. 15–17 Uhr, So. 10–12 und 15–17 Uhr, Juli/Aug. auch Mo. 10–12 Uhr, Nov.–März geschl., Eintritt frei (Tel. 07 51/3 11 21 und 8 22 16).

Riedlingen: Altertums- und Heimatmuseum, im alten Spital am Wochenmarkt, Zeugnisse der Alltagskultur, sehenswerte Sammlung von Hinterglasbildern; Mo.–Fr. 9–12 Uhr (Tel. 0 73 76/13 26).

Saulgau: Die Fähre, Schulstr. 6, Ausstellung zeitgenössischer Kunst; Di.–Fr. 14–16 Uhr, Sa. und So. 14–17 Uhr (Tel. 0 75 81/2 07 35).

Siggenweiler (bei Tettnang): Hopfenmuseum, anschauliche Darstellung von Anbau, Ernte, Bierproduktion; Di., Mi., So. 15–17 Uhr (Tel. 0 75 28/29 39).

Tettnang: Montfort-Museum im Torschloß (Mi. und Sa. 14– 16 Uhr, So. 14– 17 Uhr) und Schloßmuseum im Neuen Montfort-Schloß (April–Okt.), Stadtgeschichte und Geschichte der Grafen von Montfort, die hier vom Mittelalter bis ins 18. Jh. residierten, tgl. Führungen um 10.30, 14.30 und 16 Uhr (Tel. 07 51/40 34 18 oder 0 75 42/510-0).

Ulm: Deutsches Brotmuseum, Salzstadelgasse 10, Bildwerke, Gemälde, graphische Darstellungen und Objekte zu den Themen Saat, Ernte, Mahlen, Backen, Brotverkauf und -verzehr; Di.–So. 10–17 Uhr (Tel. 07 31/6 99 55).

Ulm: Ulmer Museum und Prähistorische Sammlung, Marktplatz 9, Ulmer Kunst, Kunsthandwerk, Handwerks- und Zunftaltertümer vom 15. bis 18. Jh., Stadtansichten, Zeugnisse der Ulmer Geschichte, moderne Kunst von der „klassischen Moderne" an; Di.–So. 11–17 Uhr, Do. 11–20 Uhr, 1. Juli–30. Sept. Di.–So. 10–18 Uhr (Tel. 07 31/161-43 00 und 161-43 30).

Wangen: Heimatmuseum und Käsereimuseum in der Eselsmühle (von 1568), Darstellung des Mühlengewerbes, der Stadtgeschichte, Bilder von Wangener Künstlern, religiöse Volkskunst, kunstvolle Schmiede- und Schlosserarbeiten, im angeschlossenen Badstubenmuseum Darstellung der mittelalterlichen Badekultur und des Gesundheitswesens; 1. April–31. Okt. Di., Fr. 14–17 Uhr, So. 10–12 Uhr, 1. Nov.–31. März jeden Di. 15.30 Uhr kostenlose Museumsführung (Tel. 0 75 22/74-242).

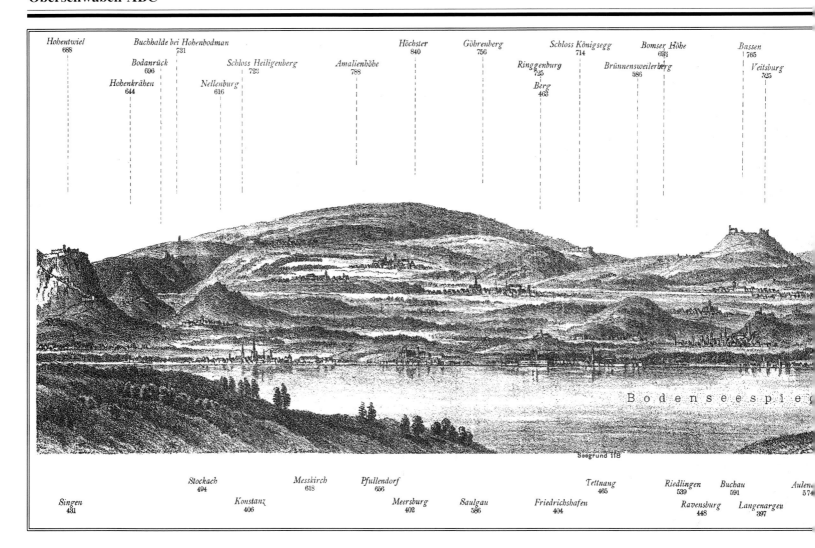

Hohentwiel 688   Buchhalde bei Hohenbodman 731   Höchster 840   Göhrenberg 756   Schloss Königsegg 714   Bomser Höhe 631   Bassen 765

Bodanrück 696   Schloss Heiligenberg 723   Amalienhöhe 788   Ringgenburg 725   Brünnensweilerberg 586   Veitsburg 525

Hohenkrähen 644   Nellenburg 616   Berg 463

Bodenseespiegel

Seegrund 118

Stockach 494   Messkirch 618   Pfullendorf 656   Tettnang 465   Riedlingen 539   Buchau 591   Aulen. 574

Singen 431   Konstanz 406   Meersburg 402   Saulgau 586   Friedrichshafen 404   Ravensburg 448   Langenargen 397

Wangen: Deutsches Eichendorff-Museum, Lange Gasse 1 (Tel. 0 75 22/38 40 und 74-241), Original-handschriften, Erstausgaben, alte Stiche und Bilder; im selben Haus auch das Gustav-Freytag-Archiv (Tel. 0 75 22/43 69) mit 800 Bänden von Freytag-Werken und ca. 1000 Originalbriefen an seinen Verleger; 1. April–31. Okt. (Eintritt wie Wangener Heimatmuseum).

Weingarten: Alamannen-Museum im Kornhaus, Karlstr. 28, bedeutendes Spezialmuseum für die Geschichte des frühen Mittelalters in Oberschwaben; Mi., Sa., So. 15–17 Uhr, Febr. und Nov. geschl. (Tel. 07 51/405-254 oder 405-125).

Wilhelmsdorf: Museum für bäuerliches Handwerk und Kultur, Hoffmannstr. 27, entstanden aus privater Initiative, oberschwäbisches Bauernhaus, Bauerngarten, 30 bäuerliche Werkstätten; 1. April–30. Okt. jeweils 1. und 3. So. im Monat 14–17 Uhr (Tel. 0 75 03/17 16 und 5 97).

Wolfegg: Automobilmuseum von Fritz B. Busch in einem Nebengebäude des Wolfegger Schlosses; 15. März–15. Nov. tgl. 9– 12 Uhr, 13–18 Uhr, So. 9–17 Uhr, während der Wintermonate nur So. 9–17 Uhr (Tel. 0 75 27/62 94).

Wolfegg: Bauernhaus-Museum, Fischergasse 29, Freilichtmuseum, ländliche Bauten aus dem südlichen Oberschwaben und dem westlichen Allgäu; 1. April–31. Okt. Di.–So. 10–18 Uhr, 15. Juni–15. Sept. tgl. 10–18 Uhr (Tel. 0 75 27/63 00).

Schlösser und Klöster

Bad Schussenried: Ikonographisch besonders reich ausgestatteter, barocker Bibliothekssaal (Tel. 0 75 83/3 32 09, Zentrum für Psychiatrie), Klosterhof; tgl. 13.30–18 Uhr, Sa. auch 10–12 Uhr (Tel. 0 75 83/26 16).

Bad Wurzach: Barockschloß, Marktstr., mit einem beeindruckenden Treppenhaus über drei Stockwerke, Deckengemälde; tgl. 9–12 Uhr, 13.30–18 Uhr.

Heiligenberg (zwischen Pfullendorf und Markdorf): Schloß mit schönstem Renaissance-Rittersaal Deutschlands, Besichtigung im Rahmen einer Führung, April–Mitte Juni, Mitte Aug.–Nov., tgl. alle halbe Stunde von 9.30–11.30 Uhr, 13–17.30 Uhr (Tel. 0 75 54/242).

Heiligkreuztal (bei Riedlingen): Ehemaliges, restauriertes Zisterzienserkloster, für Tagungen genutzt (Tel. 0 73 71/73 91).

Kißlegg: Altes und Neues Schloß, interessante Stukkaturen, Schloßkapelle mit Kuppel und Oratorium, Führung tgl. 14 Uhr.

Obermarchtal (bei Ehingen): Weitläufige barocke Klosteranlage – nordöstlich, zwischen Ehingen und Zwiefalten, liegt Schloß Mochental, die ehemalige Propstei des Klosters, Galerie für moderne Kunst und Besenmuseum; Di.–Fr. 10–12 Uhr, 14–17 Uhr, Sa. 14–17 Uhr, So. 10–17 Uhr (Tel. 0 73 75/418 oder 419).

Ochsenhausen: Weitläufige barocke Klosteranlage, Landesakad. für die mus. Jugend (Tel. 0 73 52/30 71) mit sehenswertem Bibliothekssaal und Treppenhaus, romanisch-barockisierter Pfeilerbasilika, Kath. Kirchengem. (Tel. 0 73 52/82 59) und historischer Sternwarte (Tel. 0 73 52/30 71).

Salem: Bedeutendstes Zisterzienserkloster in Süddeutschland, Ausstattung zeigt Stilentwicklung von Barock über Rokoko bis zum Klassizismus, Schloßschule Salem, Weinbau- und Feuerwehrmuseum, Besichtigung im Rahmen einer Führung; Juni– Aug. Mo.–Sa. stündlich 9–12 Uhr, 13–17 Uhr, April, Mai, Sept. und Okt. Mi.–Sa. 9–12 Uhr, 13–17 Uhr.

Tettnang: Altes und Neues Schloß der Grafen von Montfort, sehenswerte Innendekoration von Joseph Anton Feuchtmayer, nur mit Führung; April–Okt. tgl. 10.30, 14.30, 16 Uhr (Tel. 0 75 42/51 91 48).

Weingarten: Benediktiner-Kloster, eine der größten barocken Kuppelkirchen nördlich der Alpen mit Gewölbefresken von C. D. Asam, Orgel von J. Gabler; 8–12 Uhr, 14–19 Uhr, Basilika 8–18 Uhr (Tel. 07 51/56 12 70).

Wiblingen: Ehemaliges Benediktinerkloster, sehenswerte Klosterkirche, reich stuckierter Bibliothekssaal (Tel. 07 31/189-30 04/30 01) mit theologisch-philospischem Deckenfresko (April–Okt. Di.–So. und Feiertage 10–12 Uhr, 14–17 Uhr, Nov.–März Sa., So. und feiertags 14–16 Uhr); Dauerausstellung (Tel. 07 31/189-30 04/30 01) im ehemaligen Wirtschaftsgebäude „900 Jahre Wiblingen: Kloster, Dorf, Stadtteil" (Di.–So. 10–16 Uhr).

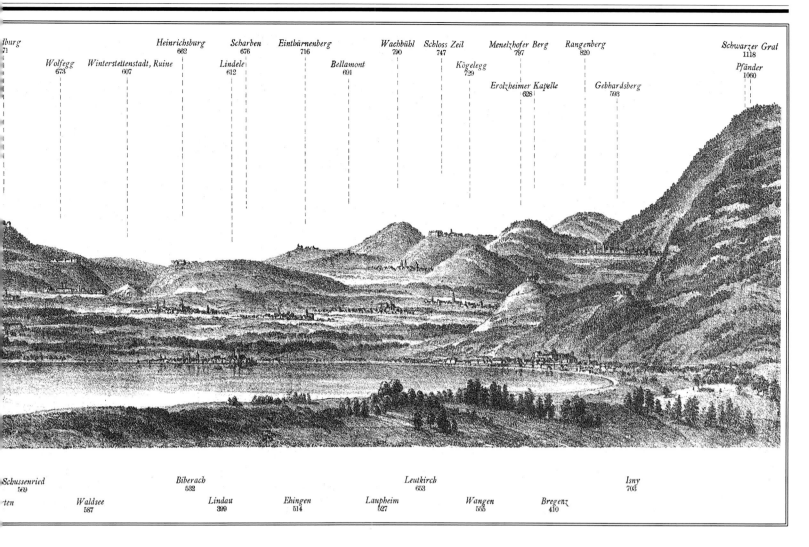

Labels on panorama (top, left to right): Iburg 71, Wolfegg 673, Winterstettenstadt, Ruine 607, Heinrichsburg 682, Scharben 676, Lindele 612, Eintbürnenberg 716, Bellamont 691, Wachbühl 790, Schloss Zeil 747, Kögelegg 729, Menelzhofer Berg 797, Erolzheimer Kapelle 628, Rangenberg 820, Gebhardsberg 593, Schwarzer Grat 1118, Pfänder 1060

Labels (bottom): Schussenried 569, ...ten, Waldsee 587, Biberach 532, Lindau 399, Ehingen 514, Leutkirch 653, Laupheim 527, Wangen 565, Bregenz 410, Isny 703

Verkehrs- und Kurämter

Oberschwaben ist keine zentral ausgerichtete Region, sondern ein bilderbuntes Mosaik zum Entdecken – dazu einige weitere hilfreiche Adressen

Bad Buchau: Städtisches Kur- und Verkehrsamt, Marktplatz 6 (Tel. 0 75 82/8 08 10, Fax 8 08 40).
Bad Schussenried: Städtische Kurverwaltung, Georg-Kaess-Str. 10 (Tel. 0 75 83/94 01 70, Fax 47 47).
Bad Waldsee: Städtische Kurverwaltung und Gästeamt, Ravensburger Str. 1 (Tel. 0 75 24/94 13 42 oder 94 13 41, Fax 94 13 45).
Bad Wurzach: Städtische Kurverwaltung, Mühltorstr. 1 (Tel. 0 75 64/30 21 50, Fax 30 21 54).
Biberach: Städtische Fremdenverkehrsstelle, Theaterstr. 6 (Tel. 073 51/5 14 83, Fax 5 15 11).
Ehingen: Stadtverwaltung, Marktplatz 1 (Tel. 0 73 91/50 30).

Isny: Kurverwaltung, Kurhaus am Park (Tel. 0 75 62/98 41 10, Fax 98 41 72).
Kißlegg: Gäste- und Kulturamt, Im Neuen Schloß (Tel. 0 75 63/93 61 42, Fax 93 61 99).
Laupheim: Kulturamt im Rathaus, Marktplatz 1 (Tel. 0 73 92/70 42 66).
Leutkirch: Gästeamt der Stadt, Am Gänsbühl 6 (Tel. 0 75 61/8 71 54, Fax 8 71 86).
Markdorf: Fremdenverkehrsverein Gehrenberg-Bodensee, Marktstr. 1 (Tel. 0 75 44/50 00 und 50 02 90, Fax 50 02 89).
Mengen: Verkehrsamt, Rathaus, Hauptstr. 90 (Tel. 0 75 72/60 70 und 6 07 21).
Ostrach: Bürgermeisteramt, Hauptstr. 17 (Tel. 0 75 85/3 00 18, Fax 3 00 66).
Pfullendorf: Kultur- und Verkehrsamt, Marktplatz (Tel. 0 75 52/2 51 60, Fax 41 56).
Ravensburg: Kultur- und Verkehrsamt, Kirchstr. 16 (Tel. 07 51/8 22 16 und 8 23 02).
Riedlingen: Stadtinformation, Marktplatz 1 (Tel. 0 73 71/1 83 12, Fax 1 83 55).
Saulgau: Städtisches Kur- und Verkehrsamt, Rathaus (Tel. 0 75 81/4 83 90, Fax 49 65).
Tettnang: Verkehrsamt (im Rathaus), Montfortplatz 7 (Tel. 0 75 42/51 02 78, Fax 51 02 75).
Wangen: Städtisches Gästehaus, Rathaus, Am Marktplatz 1 (Tel. 0 75 22/7 42 11, Fax 7 41 11).
Weingarten: Städtisches Kultur- und Verkehrsamt, Münsterplatz 1 (Tel. 07 51/40 51 25, Fax 40 52 68).

Ein „idealer" Blick über Oberschwaben vom Bussen bei Riedlingen bis zum Bodensee, vom Hohentwiel bis zum Allgäu (aus den Württembergischen Neujahrsblättern, 1886).

An "ideal" view of Upper Swabia from the Bussen near Riedlingen to Lake Constance, from the Hohentwiel as far as the Allgäu (from the "Württembergische Neujahrsblätter," 1886)

Une «vue idéale» sur la Haute-Souabe, du Bussen près de Riedlingen au lac de Constance, et du Hohentwiel jusqu'aux montagnes de l'Allgäu (extraite des «Württembergische Neujahrsblätter», 1886)

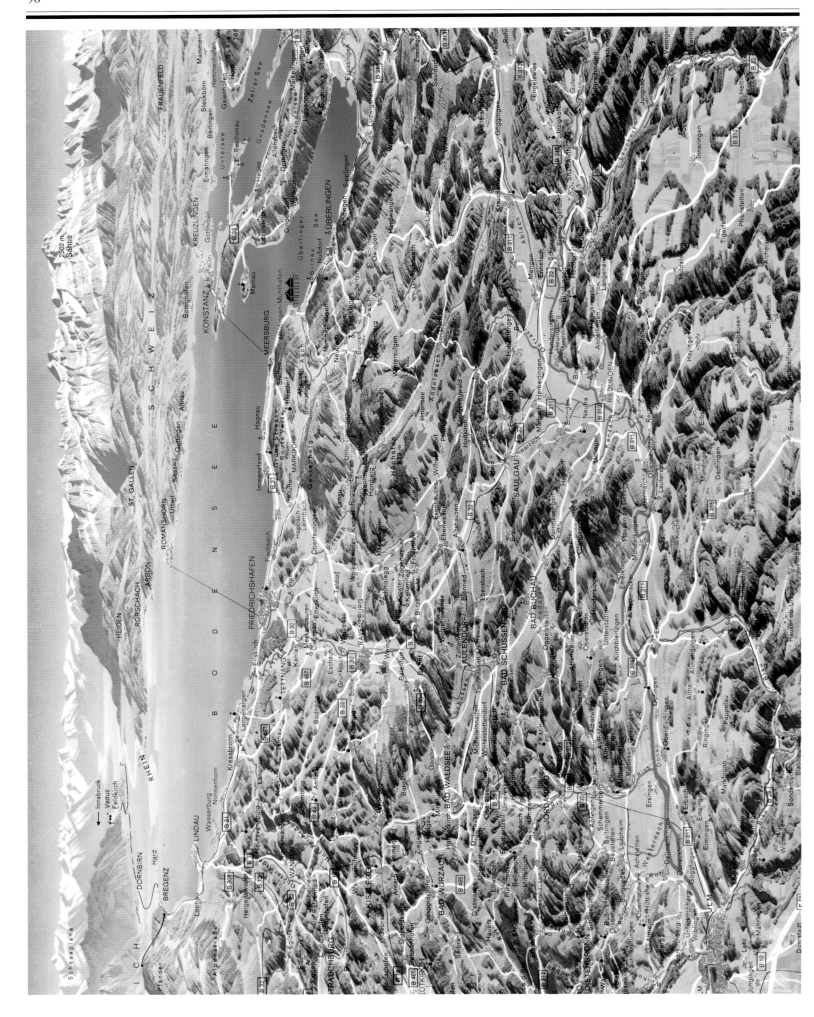